七不思議神社

森に消えた宝

作 緑川聖司
絵 TAKA

あかね書房

クレープ
りんごあめ
秋祭り
秋祭り
秋祭り
秋祭り

「なあ、リク。河童がこわがりそうな怪談って、なんやと思う？」

九月最後の月曜日。

二学期になってはじめて長そでで登校したぼくが、五年一組の教室にはいると、
タクミがいきなりそんなことを話しかけてきた。

「河童？」

びっくりしたぼくは、ランドセルをおろしながら聞きかえした。

「どういうこと？」

「それが……」

タクミはまわりを気にするように、少し声のトーンを落として話しだした。

昨日、タクミは同じ五年生のシンちゃんといっしょに、町のはずれを流れる月森川までつりに出かけた。

お昼すぎからつりはじめたけれど、けっきょく一匹もつれないまま、暗くなってきたので、そろそろ帰ろうかと二人が話していると、

「あっ！」

シンちゃんが川の方を指さして、大声をあげた。

タクミがふりかえると、川べりに石で固定してあった自分のつりざおが、いつのまにか川に落ちて、流されていた。

タクミはいそいでかけよったけど、つりざおはあっという間に、手のとどかないところまではなれていってしまった。

月森川はこの町で一番大きな川で、広いところでは川はばが十メートル以上にもなる。

九月の水は冷たいし、流れもはやいので、とても泳いで取りにいくことはできない。

なにもできずにただ見送っていた二人の目の前で、川面からとつぜん、ザバッと緑色のうでが飛びだして、つりざおをつかんだ。

そして、全身緑色をした生きものが、つりざおを手にしたまま岸の方へと近づいてきた。

「それが、河童やったんや」

背の高さは、おそらく小学校の低学年くらい。

手はひょろりと細長く、くちばしのようにとがった口をしていて、頭にのったお皿のまわりには、トマトのへたのようなギザギザの髪が生えている。

タクミはもちろんおどろいたけど、それよりも、誕生日に買ってもらった大切なつりざおをとにかく返してほしかったので、勇気を出して呼びかけた。

「それ、おれのやから、返してくれへんか？」

すると河童は、つりざおをめずらしそうにながめてから、タクミの顔を見て、

「こわい話を教えてくれたら、返したってもええぞ」

耳にさわるキンキン声で、そう答えたのだった。

「それって……」

そこまでずっと、だまって話を聞いていたぼくは、思わず口をはさんだ。

「そうやねん」

タクミは小さくため息をついて、うなずいた。

「あいつ、町の七不思議に出てくる『怪談好きの河童』やと思う」

ぼくたちの暮らす七節町には、七つの不思議が伝わっている。

この町にはもともと父さんの実家があったんだけど、三年前にじいちゃんが亡くなってからは、ばあちゃんが一人で暮らしていた。

ところが、この春にばあちゃんがひったくりにあって、けがをしてしまった。

その事件がきっかけになって、いまからちょうど一か月前――八月の終わりに、ぼくと父さんと母さんの三人が、ばあちゃんの家に引っこしてきたのだ。

夏休み中だったせいで、遊ぶ相手もいなくてたいくつしていたぼくは、ばあちゃんにすすめられて、近くにある七節神社――通称、七不思議神社をたずねた。

そこでタクミと出あい、いっしょに町を探検することになったんだけど、『怪談好きの河童』は、そのときに出くわした七不思議のうちのひとつだったのだ。

「それで、どうしたの？」

ぼくの問いに、タクミはかたをすくめた。

「しゃあないから、こわい話を教えたよ」

つりざおを手にしっかりとにぎって、岸であぐらをかく河童に、タクミは最近聞いたばかりの怪談をしてやったのだそうだ。

「どんな話？」

興味が出てきて、ぼくは身を乗りだした。

「近所に住んでる、大学生の兄ちゃんから聞いた話なんやけどな……」

タクミはたんたんとした口調で語りはじめた。

トンネルのゆうれい

町のはずれにある遠見峠のトンネルには、ゆうれいが出るといううわさがあった。

夜中の○時ちょうどに、トンネルの中でクラクションを三回鳴らすと、白い女のゆうれいがあらわれるというのだ。

夏のある暑い日の夜。

大学生の高明は、同級生の晴彦にさそわれて、トンネルにきもだめしに出かけた。

晴彦の運転で、峠に向かう。

夜空には糸のように細い月がかかっていた。

二人はトンネルの手前で車を止めて時間を調整すると、○時になる直前にトンネルの中へとはいっていった。

ゆっくりと車を走らせながら、クラクションを三回鳴らす。

プーッ、プーッ、プーーーーッ！

かん高い音が、かべに反響して消えていく。

そのまま息をつめて待ってみたけど、けっきょくなにも起こらないまま、車はトンネルを通りぬけた。

「――なんだよ。なにも起きないじゃねえか」

助手席の高明は、ダッシュボードをたたいてもんくをいった。

「おかしいなあ……」

晴彦は首をひねりながら、アクセルをふみこんだ。

車が加速しながら山道をくだっていると、後ろから一台のタクシーが、クラクションを激しく鳴らしながら追いかけてきた。

晴彦がおどろいて車を急停車させると、けっそうを変えた運転手がかけよってきて、

「あぶないじゃないか！」

とどなった。

「な、なんですか？」

運転席からおりた晴彦が、そのけんまくにとまどっていると、

「なんですかじゃないだろ！　車の屋根に人を乗せて走るなんて、いったいなにを考えて……」

運転手はわめきながら車を見て、とうとつに口をつぐんだ。

「屋根？」

高明も外に出て車を見るけど、もちろんだれもいない。

運転手は急に態度を変えると、

「いや……屋根に人がしがみついてるように見えたもんだから……」

小声でもごもごいいながら、タクシーに乗りこんで、そのまま走りさっていった。

「なんなんだよ――」

高明たちも、ぶつぶついいながら車にもどると、山をおりて家に帰った。


そして、つぎの日。

「見せたいものがあるんだ」

朝から電話で呼びだされて、高明が晴彦の家をたずねると、

「これ、見てみろよ」

晴彦はさっそく昨日のドライブレコーダーの映像を、パソコンで再生した。

フロントガラスごしに、峠の山道が映しだされる。

車はトンネルにはいると、クラクションを三回鳴らして、そのままトンネルを通りぬけた。

「なんだよ。なにも起きないじゃねえか」

「おかしいなあ……」

二人のそんなやりとりに続いて、クラクションの音が聞こえてくる。

晴彦がブレーキをふんで、車が路かたに止まり、車内の二人が後ろをふりかえったしゅんかん、

「うわっ！」

パソコンの画面に顔を近づけていた高明は、大きくのけぞった。

ドライブレコーダーに、上下がさかさまになった顔のようなかげがいっしゅんだけうつって、すぐに消えたのだ。

「い、いまのって……」

高明のふるえる声に、晴彦がうなずく。

「たぶん、後ろを向いてて気づかなかったんだと思うけど……」

その顔はちょうど、車の屋根にしがみついていた何者かが、中をのぞきこもうとしたようだったということだ。

「へーえ」

タクミが話をしめくくると、ぼくは感心の声をあげた。

「けっこうこわいじゃん」

「おれもそう思ってたんだけどさ……」

話を聞いた河童は、こわがるどころか、ニヤリと笑って、

「それ、わしや」

といったのだそうだ。

「どういうこと?」

意味がわからなくて、ぼくが聞きかえすと、タクミはしぶい顔で話しだした。

怪談に出てくる遠見峠は、月森川の上流にある。

きもだめしにやってくる若者は、車の中でこわい話をしていることが多いので、怪談好きの河童は、彼らの話を聞くために、よくトンネルの近くまでのぞきにきていた。

その日も、止まっている車を見つけて近づいたところ、とつぜん走りだしたので、とっさに屋根にしがみついた。

河童は人間よりも身軽だし、手の力も強い。そのまま山のふもとまで乗っていこうと思っていたら、クラクションを鳴らされた車が急ブレーキをかけたため、すべりおちそうになった。

「たぶん、そのときに顔がのぞいてしもたんやろうな」

河童はニヤニヤしながらそういった。

その後、タクシーの運転手が走ってくるのが見えたので、屋根からこっそりおりてすがたを消したのだそうだ。

河童は「わしが聞いたことのないような、こわい話を教えてくれたら返したる」といいのこして、つりざおを手にしたまま川へと帰っていったらしい。

「そやけど、河童って昔からこの土地に住んでるやろ？」

タクミは困りきった表情でいった。

「その河童が聞いたことのないような話なんて、思いつかへんねん」

そこで、転校してきたばかりのぼくなら、なにか新しい話を知ってるかもしれないと思って声をかけたのだそうだ。

「こわい話か……」

ぼくは首をかしげた。怪談はきらいじゃないけど、河童の知らない話といわれても、想像がつかない。だけど、

「リク、たのむよ」

タクミが手を合わせて拝んできたので、

「わかった。やってみる」

ぼくはそういって、大きくうなずいた。

学校が終わると、ぼくはいったん家に帰ってランドセルを置いてから、月森川へと向かった。

金色のいなほが波うつ田んぼの間を走りぬける。

引っこす前に住んでいたマンションは、駅の近くにあって人通りも多く、夜になっても明るかった。

だけど、この町は店が閉まるのも早いし、夜になると真っ暗になって、虫やカエルの声しか聞こえてこない。

そんな環境になれることができるのか、はじめは不安だったけど、いまではほそうされていない道や、星いっぱいの夜空があたりまえになっていた。

背の高い草がそよぐ川原では、タクミとシンちゃん、それから同じ五年生のソラが手をふっている。

タクミとシンちゃんはこの町の出身だけど、ソラは三年前にこの町に引っこしてきた転入組なので、おそらくぼくと同様、河童の知らない怪談を期待されて呼ばれたのだろう。

土手から川原におりたぼくは、シンちゃんが木製のバットを手にしているのを見て、目を丸くした。

「シンちゃん、それ、どうしたの？」

「相手は河童やぞ。こっちを油断させといて、肝を引っこぬくつもりかもしれへんやろ」

シンちゃんはそういって、バットを構えた。

「肝？」

「たましいみたいなもんや。河童は人間の肝が大好物やって、うちのじいちゃんがゆうとったぞ」

「ねえ。河童なんて、本当にいるの？」

ソラがこしに手をあてて、疑わしそうな表情でぼくたちを見た。

そういえば、この四人の中でソラだけが、河童を直接もくげきしていないのだ。

「まあ、見たらわかる……」

タクミが答えようとしたとき、

バシャンッ！

大きな水音がして、緑色の生きものが川にあらわれた。

細長い手足、頭のお皿、背中のこうら……そのすがたは、どこからどう見ても河童だった。

「本物だ……」

ソラがあっけにとられた顔でつぶやく。

「きたな」

河童は川べりで足を止めて、ニヤリと笑った。

「さあ、わしが聞いたことのないような、こわい話をしてもらおうか。だれが話してくれるんや？」

ぼくは両手をギュッとにぎりしめて、足をふみだした。

「――ぼくが話す」

河童の目が、ギョロリとこちらを向いた。

ぼくは大きく深呼吸をしてから、用意してきた話を語りはじめた。

「これは、前にいた学校で、本当にあった話なんだけど――」

いまから十年くらい前の話。

夕陽のさしこむ放課後の教室で、六年生のさおり、美紀、愛佳の三人が、こっくりさんをしていた。

こっくりさんというのは一種のうらないのようなもので、紙に「はい」と「いいえ」と鳥居のマーク、そして「あ」から「ん」の五十音と〇から九までの数字をかく。

それから、鳥居の上に置いた十円玉に、参加者全員が人さし指をそえて、

「こっくりさん、こっくりさん、おこしください」

と三回唱えると、こっくりさんというキツネの神さまが十円玉にやどって、質問に答えてくれるというのだ。

三人はこっくりさんを呼びだすと、

「来週、テストはありますか？」

「三浦先生は結婚できますか？」

「海斗くんの好きな子はだれですか？」

などと、いろいろな質問をくりかえした。

そのたびに指をのせた十円玉が、ひらがなの間を動いて答えを指ししめす。

やがて、下校のチャイムが鳴ったので、三人はこっくりさんをやめて、学校をあとにした。

そして、近所にある小さな神社へと向かった。

こっくりさんに使った十円玉は、その日のうちに手ばなさないと、よくないことが起こるといわれているので、おさい銭にしようと思ったのだ。

ところが、神社に着くなり、

「ばかみたい。たたりなんか、あるわけないじゃない」

愛佳が十円玉を、神社の裏の森に放りなげてしまった。

愛佳は教室で、好きな男の子との相性を聞いたのに、よくない結果が出たので、ずっときげんが悪かったのだ。

「なにするのよ！」

三人の中で、一番こっくりさんにくわしいさおりが悲鳴をあげたけど、

「なにびびってるのよ。こんなの、どうせでたらめでしょ」

愛佳は捨てぜりふを残すと、二人を置いて、すたすたと帰ってしまった。


その日の夜のこと。

さおりの家に、愛佳のお母さんから電話がかかってきた。

晩ごはんのとちゅうで、愛佳がとつぜん「いかなきゃ……」とつぶやいて、家を飛びだしていったというのだ。

心あたりはないかとたずねるお母さんに、さおりは「関係あるかどうかはわかりま

せんけど……」と前置きをして、今日の放課後のことを話した。

これはこっくりさんのたたりではないかと考えた愛佳の家族が、神社にいって事情を話すと、神主さんは拝殿の前で、なにか祝詞のようなものを唱えはじめた。

しばらくすると、神社の裏の森から、あせとどろにまみれたた愛佳が、十円玉をにぎりしめてあらわれた。

神主さんが十円玉をさい銭箱にいれて、柏手を打つと、その場をつつむ空気がパッと明るくなった。

あとから聞いても、愛佳には、家を出てから神社の森にあらわれるまでのきおくが、まったくなかったそうだ。

「――それ以来、うちの学校では、こっくりさんが禁止になったんだ」

ぼくは話をしめくくると、きんちょうして河童を見つめた。

河童は目を閉じて、うでを組んだままだまっている。

「どうだった?」

ちんもくにたえきれなくなって、ぼくがたずねると、

「うーん……それはきっと、バチがあたったんやな」

河童は目を開けて、そんなことをいいだした。

「バチ? それは、こっくりさんが女の子に取りついたっていうこと?」

ソラが聞きかえすと、河童は「いいや」と首をふって、

「そうやない。神社の神さまがおこりはったんや」

さとすような口調でいった。

「こっくりさんゆうのは、動物霊の集まりやから、たしかに悪さをすることもあるけど、ほっといたら害はない。それをおもしろ半分に呼びだしといて、答えが気にいらんかったからって、放りだすようなことをするから、神さまがこっくりさんのかわ

りにバチをあてたんや。あんたらも、動物霊やからゆうて、ないがしろにしたらあかんで」

したり顔でうなずく河童の様子に、ぼくたちは顔を見あわせた。

こわい話というよりも、これではまるで教訓話だ。

「ほんで、こわい話はまだか？」

河童は真顔でぼくたちをうながした。

「わしがこしをぬかして、しりもちをつくような話をせんと、つりざおは返されへんで」

「それじゃあ、わたしが」

ソラが手をあげて、ぼくといれかわるように、一歩前に進みでた。

「これは、引っこす前に近所に住んでたお姉ちゃんから聞いた話なんだけど……」

ゲット・ザ・ドラゴン

「よし！　イエロードラゴン、ゲット！」

スマホを片手に公園の中を歩きながら、タケルは思わずガッツポーズをした。

中学校に入学したお祝いに、スマホを買ってもらったタケルは、すぐに【ゲット・ザ・ドラゴン】というアプリをダウンロードした。

これは位置情報システムを利用したゲームで、街なかにひそんでいるドラゴンを見つけだし、つかまえると、自分の【ドラゴン手帳】に加えることができるのだ。

タケルはゲームをはじめてからわずか一週間で、ドラゴンを二十匹以上集めていたけど、まだぜんぜん満足していなかった。

いくら数を集めても、やっぱりレア――めずらしいドラゴンを持ってるやつの方が、仲間うちでも尊敬されるのだ。

どこかにレアなドラゴンはかくれていないかな……スマホの画面を見ながら、公園の中をぐるぐると歩きまわっていると、同じクラスのヒロトがベンチにすわっていた。

「おい、ヒロト」

タケルに声をかけられて、ヒロトはおどろいた様子で顔をあげた。

タケルはヒロトの手元に目をとめて、

「お、ゲット・ザ・ドラゴンか」

そういうと、ヒロトのスマホをうばいとって、かんせいをあげた。

「おまえ、ホワイトドラゴン持ってるのかよ！」

ホワイトというのは、めったに出ないといわれている、超レアなドラゴンだ。

「あ、うん。こないだ、父さんとイベントにいったときに……」

ヒロトは消えいるような声でいった。

ドラゴンは出現する場所が決まっているのだが、特別なイベントのときにしかゲットできないものもある。

タケルもイベントにいきたかったのだが、親に連れていってもらえなかったのだ。

「いいなあ……なあ、これくれよ」

タケルの言葉に、ヒロトの顔が青くなった。

「だめだよ。これは……」

「なんでだよ。おまえはまた父ちゃんに連れていってもらえばいいだろ。おれのレッドドラゴンとこうかんしてやるよ」

タケルはヒロトの返事を聞かずに、スマホを操作した。

このゲームでは、ゲットしたドラゴンを友だちとこうかんすることができるのだ。

「ちょっと待ってよ。レッドって……」

レッドは一番ふつうのドラゴンで、このゲームをやっている者なら、だれでも持っている。

ヒロトを無視して操作を続けていると、画面上に注意の文章が表示された。

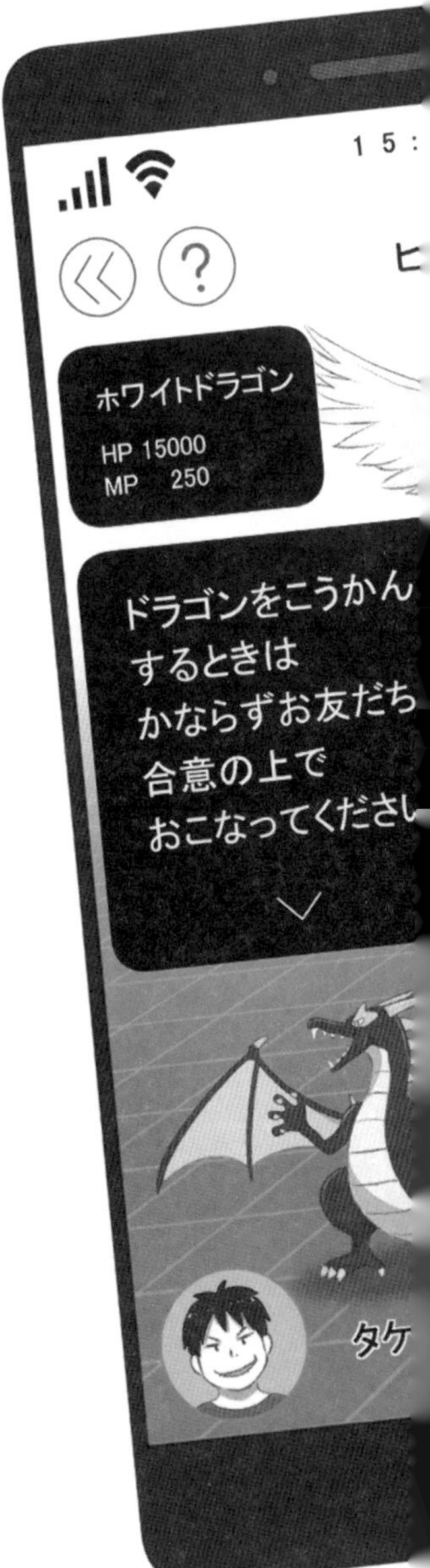

「だいじょうぶ、だいじょうぶ」

タケルは笑いながらこうかんをすませると、ぽい、とスマホをヒロトに返した。

そして、泣きそうな顔のヒロトに、

「サンキュー」

と手をふると、スタスタと公園をあとにした。

（このやりかたでいけば、すぐに全部そろうんじゃねえか）

タケルがニヤニヤしながら歩いていると、目の前に急に大きなかげが立ちふさがった。

なんだよ、と思って顔をあげると、そこには身長二メートルくらいのドラゴンが立っていた。

着ぐるみかな、と思っていると、ドラゴンは胸を張って、大きく息をすいこんだ。

ゲームの中では、この動作のあと、口から火をはくことになっている。

タケルが反射的に飛びのくと、ドラゴンはその通りに真っ赤なほのおをはきだした。

「うわっ！」

つくりものではない、本物のほのおの熱さに、タケルはあわててにげだした。

すると、今度は空から風を切って、べつのドラゴンが急降下してきた。

「ひゃっ！」

思わず頭をかかえてその場にうずくまる。

しばらくたって、おそるおそる顔をあげると、空にはほかにも何匹ものドラゴンが飛びまわっていた。

それだけではない。

歩道にも車道にも、ドラゴンが歩いて、人や車に向かってほのおをはいているのだ。

それなのに、だれもにげたり、熱がったりしていない。

自分以外には見えてないのか？　とタケルが混乱していると、

「ねえ、見えてるの？」

見知らぬ男の子が、声をかけてきた。たぶん、小学校の中学年くらいだろう。

「おまえも見えるのか？」

タケルは男の子のかたをつかんだ。

「これ、なんなんだよ」

タケルに体をゆさぶられながら、

「ちゃんと利用規約を読んだ？」

と男の子は聞いた。

「え？」

タケルはスマホの画面を開いた。

【合意なくこうかんした場合は　強制的にゲームの中に　はいっていただきます】

「ゲームの中にはいるって……」

タケルがぼうぜんと、目の前を行き来するドラゴンたちをながめていると、

「ねえ、めずらしいドラゴン、こうかんしてあげようか？」

男の子が、パッとタケルのスマホをうばいとって、勝手に操作をはじめた。

「おい、やめろよ……」

タケルが取りかえそうとすると、男の子は後ろにぴょんとさがって、

「はい」

と、スマホを放りなげてきた。

キャッチして、画面を確認すると、

【あなたは　ビッグドラゴンを　ゲットしました】

と表示されている。

「え？」

タケルが顔をあげると、ビルぐらいの大きさのドラゴンが自分を見おろしていた。

そして、大きく口を開けると、その巨体からは想像もつかないようなすばやい動作で、タケルの体をガブッとくわえこんだ。


「――タケルは道の真ん中で一人でさわいでいるところを発見されて、保護されたんだって。体のあちこちが傷だらけで、やけどもできてたらしいよ」

ソラが話しおえると、ぼくたちは河童に注目した。

しかし、河童が口にしたのは、

「げえむって、なんだ?」

というせりふだった。

「すまほってのは聞いたことあるけど……ドラゴンってのは、あれだろ? 西洋の龍だろ? そんなもんと戦ったら、負けるに決まってる。命が助かっただけよかったなあ」

だめだ。ぜんぜんこわがっていない。

ぼくはなんだか力がぬけてしまった。

「もう終わりか？　これじゃあ、つりざおは返せねえなあ」

河童の言葉に、ぼくはあせった。

秋の夕暮れははやい。赤くそまりはじめた川原を見ながら、ぼくは、

「ちょっと待って」

と声をあげた。

「それじゃあ、こんな話はどうだ？」

紫の財布

高校生の阿部くんは、毎日自転車で通学しています。

ある日の帰り道。

川原のそばを通りかかったところで、阿部くんは自転車を止めました。

生いしげったくさむらの中に、紫色のなにかが落ちているのが見えたのです。

自転車をおりて近づいてみると、それは紫色をした革の財布でした。

なにげなく中身をのぞいて、阿部くんはおどろきました。

中には一万円札が、何十枚もはいっていたのです。

阿部くんはあたりを見まわして、近くにだれもいないことをたしかめると、財布をポケットにしまいました。

そして、自転車に飛びのると、にげるようにその場から走りさりました。


それからちょうど一年後。

阿部くんが川原の前を通りかかると、若い女の人が前かがみになってなにかをさがしているのが見えました。

「どうしたんですか？」

阿部くんが声をかけると、

「財布を落としたんです」

女の人は答えました。

それを聞いて、阿部くんはビクッとしました。

だけど、まさか一年前の財布を、いまごろさがしているはずがありません。

「ぼくも手伝いますよ」

阿部くんはそういって、自転車をおりました。

「どんな財布ですか？」

草をかきわけながら、阿部くんがたずねると、

「紫色の革の財布なんです」

女の人は低い声で、そう答えました。

阿部くんはまたドキッとしました。

こんなぐうぜんがあるのでしょうか。

もし、ぐうぜんではないとしたら……。

阿部くんが動けずに固まっていると、

「大事な財布だったんです。わたし、あの財布をさがしていて……」

川に落ちてしまったんです——女の人はそういって、阿部くんの方をくるりとふりむきました。

そのすがたを見て、阿部くんは言葉を失いました。

さっきまでふつうのかっこうをしていた女の人は、いっしゅんにして、まるでいままで水につかっていたみたいに、全身がびしょぬれになっていたのです。

「わたし、財布をぬすんだ犯人を知ってるんですよ」

長い髪から、ポタポタとしずくを落としながら、女の人は色のないくちびるで、ニコリと笑っていいました。

「だ、だれですか？」

阿部くんがやっとの思いで声を出すと、女の人はゆっくりと、うでをあげて——

「――おまえだっ！」

ぼくは河童(かっぱ)にビシッと指をつきつけて、おなかの底(そこ)から声を出した。

「うっひゃあっ！」

河童(かっぱ)はびっくりして小さく飛(と)びあがると、ひっくりかえってしりもちをついた。それを見て、タクミが手をたたく。

「やったぁ！」

「いまのはひきょうやぞ」

河童は上目づかいにぼくをにらんだ。

「だけど、こしをぬかしてしりもちをつくような話をしたじゃないか。それとも、河童は約束を守らないのか？」

ぼくが勇気をふるっていいかえすと、河童はしばらくだまっていたけど、やがてあきらめたようにつりざおを差しだした。

「ほらよ」

「ありがとう」

タクミはつりざおを受けとって、頭をさげた。

だけど、河童はまだ不満そうだ。

それを見ているうちに、ぼくはなんだか悪いような気がしてきた。

考えてみれば、流されそうになったつりざおを、河童はわざわざ拾ってくれたのだ。

「今度、またこわい話をしてやるから」

ぼくがそう声をかけると、

「ほんまか?」

河童はようやく笑顔を見せた。

それをきっかけに、ぼくたちは自己紹介を交わした。

河童は〈ギイ〉と名乗り、月森川の上流には、ほかにも十人ほどの河童が暮らしているといった。

「わしだけが、しょっちゅう人里におりてきてるんや」

ギイの言葉に、

「もしかして、人間の肝をぬくためか?」

それまでずっと、かたい表情でだまっていたシンちゃんが、バットを構えていった。

「肝?」

「肝をぬくんじゃないのか?　じいちゃんがゆうとったぞ」

「そらあ、誤解だ」

ギイは大きく目を見開いて、顔の前でバタバタと手をふった。

「人間が川でおぼれ死ぬと、体中の力がぬけるんや。昔の人間がそれを見て、河童がしりから肝をぬいたっていってたらしいけど、わしら、ぜったいにそんなことしねえ」

河童がとるのは魚や木の実くらいで、人間にはいっさい手出しはしない、とギィはいった。

ギィのけんめいな説明に、シンちゃんもようやく納得したのか、バットを持った手をおろした。

たしかに、夏休みに川原で出くわしたときも、ぼくたちが勝手にびっくりしただけで、ギィはこわい話を聞きたかっただけだし、今回も流されそうになったつりざおを拾ってくれたのだ。

見た目はちょっとこわいけど、けっこういいやつなのかもしれない。

「わかった。信じるよ」

ぼくがそういうと、ソラとタクミ、それからちょっとおくれてシンちゃんもうなずいた。

それを見て、ギィはもう一度うれしそうに笑った。

つりざおの一件をきっかけにして、ぼくたちはギィと遊ぶようになった。

ただ、ほかの人に見られたらさわぎになるので、会うのはたいてい、背の高い草が生いしげる川べりや、上流の林の中だった。

シンちゃんは、はじめのうちはまだギィをけいかいしていたけど、つりのコツを教えてもらったりしているうちに、だんだんうちとけていった。

お返しにぼくたちも、本やネットからこわい話を仕入れて、ギィに話してやった。

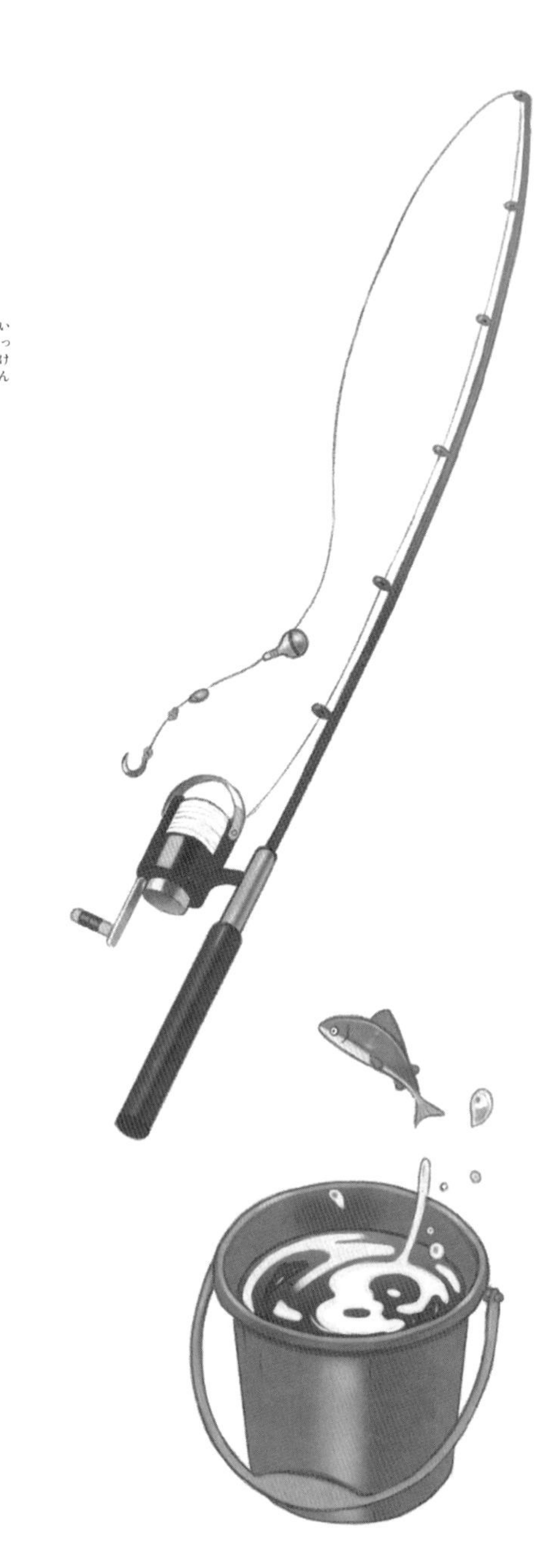

そんなぐあいに河童との交流がはじまってから、数日がたったある日のこと、ぼくたちがいつものように、放課後の川原でギィがくるのを待っていると、

「もうすぐ秋祭りやな」

小さな雲がいくつもうかぶ空を見あげながら、タクミがふとつぶやいた。

いまから十日後、来週の日曜日に、七節神社で毎年こうれいのお祭りが開かれるのだ。

「ねえ。今年はギィもさそってみない？」

ソラの言葉に、シンちゃんがうなずいた。

「そうやな。変装させたら、人間の子どもに見えるんとちゃうか」

たしかにギィの身長なら、子ども服を着てぼうしを目深にかぶれば、すぐには河童とはわからないだろう。

「そういえば、ギィって何才なんだろう」

ぼくの疑問に、

「河童は年を数えへんから、自分でもようわからんってゆってたけどな」

タクミが答えたとき、バシャッ、と大きな水音がして、ギィが川からあらわれた。

「あ、ギィ。来週の……」

ソラが話しかけようとして、言葉を止めた。

ギィがいままでに見たことのないような、暗い表情をしていたのだ。

「どうしたんだよ」

タクミが声をかけると、ギィは深刻な顔で、

「ちょっと、みんなにお願いがあるんや」

といいだした。

「いまから、わしといっしょに河童の里にいって、わしらの長に会ってくれへんか？」

とつぜんの申し出に、ぼくたちはとまどった。

「えっと……どういうこと？」

ぼくがたずねても、「くわしい話は、会ってから長が話すから」としか答えてくれない。

ぼくたちは、ギィに待ってもらって、相談をはじめた。

ここ数日のやりとりで、ギィとはずいぶん仲よくなったけど、ほかの河童と会うのは、やっぱりちょっとこわかった。

それに、河童の里がどんなところかもわからないしどうしようかと思っていると、

「おれ、いちおう電話持ってるぞ」

シンちゃんがそういって、ポケットから子ども用のスマホを取りだした。

「あ、わたしもこれなら……」

ソラが防犯ブザーを見せる。

どちらも武器にはならないけど、なにかあったときに助けを呼ぶことくらいはでき

そうだ。

それに、けっきょくのところぼくたちは、困っている様子のギィのたのみを、断る気にはなれなかった。

「いいよ。いこう」

ぼくが代表して返事をすると、ギィはようやく表情をゆるめて、

「ありがとう」

といった。

河童の里は、月森川の上流にあるらしい。

いっしょに川原を歩くとさすがに目立つので、ギィには川にもぐってもらい、ぼくたちは土手を歩いて、人目がなくなってから合流することにした。

さかのぼるにつれて川はばはせまくなり、はるか遠くに見えていた向こう岸も、どんどん近づいてくる。

砂地に草の生えていた足元は、ごつごつとした石が増えて、だんだん歩きにくくなってきた。

みんなは軽い足取りで歩いているけど、引っこしてくるまで、川原どころか土の上を歩くこともほとんどなかったぼくは、ついていくのがやっとだった。

川面をわたって、少しはだ寒いくらいの風がふいているのに、体がだんだんあせばんでくる。

気がつくと、まわりはすっかり木に囲まれていた。

川がさらに細くなって、かんたんにまたげるくらいになったところで、ギィが木かげからすがたをあらわした。

「こっちじゃ」

そういって、大きな岩と岩の間を軽がると飛びはねながら、さらに森のおくへと進んでいく。

このあたりまでくると、道らしき道もなくなって、ぼくたちはギィのすがたを見失わないように、必死であとを追いかけた。

足をふんばって、木の幹につかまりながら、斜面をほとんどはうようにしてのぼっていくと、とつぜん森が開けて、平らな場所があらわれた。

「ついたぞ」

足を止めたギィの背後にそびえたつ大木に、ぼくたちは息を飲んだ。

それは、直径だけでも二、三メートルはありそうな巨大な木で、まるで空を支える柱のように、まっすぐにのびていた。

幹のまわりには、太いロープのようなしっかりとしたツタが、あみ目のようにからみついている。

「こっちじゃ」

ギィはそのツタをつかんで足をかけると、すいすいと器用にのぼりはじめた。

五メートルくらいの高さのところで、左右にグイッとかきわけると、幹の表面にまるでどうくつの入り口のような、大きな穴があらわれる。

ギィはその中にすがたを消すと、またすぐに出てきて、

「のぼってこいよ」

と手招きした。

「これをのぼるの？」

ソラは木を見あげて、いやそうな顔をした。高いところは苦手らしい。

「だいじょうぶ。けっこうしっかりしてるで」

木のぼりが得意なタクミは、ツタをつかむと、あっという間に半分くらいの高さまでのぼって、ぼくたちに手をふった。

けっきょく、ぼくとシンちゃんがソラを引っぱりあげるようにして、なんとか全員穴にたどりついた。

ぼくはまず、その広さにびっくりした。

そこは、木のうろを利用したりっぱな部屋になっていたのだ。

広い円形のゆかに、きれいに手いれされたかべ。

どこかに明かりとりのすきまがあいているのか、頭上からは、やわらかな陽の光がさしこんでいる。

そして、部屋のおくでは白いあごひげを生やした河童が、あぐらをかいて、じっとこちらを見つめていた。

どうやらあれが、河童の長のようだ。

ぼくたちがきんちょうして、気をつけをしていると、

「わざわざきてもらって、すまんかったな。まあ、すわってくれ」

長はクシャッと顔をほころばせて、やさしい声でいった。

長の前には半円をえがくようにして、座布団がわりのハスの葉っぱがしかれている。

ぼくたちがその上にこしをおろすと、ギィがお茶を運んできてくれた。

竹でできた湯飲みの中に、いままでかいだことのない香りの飲みものがはいっている。

「あの、これは……？」

ぼくはおそるおそる聞いた。

「木の実をせんじて淹れたお茶じゃ。味は悪いが、体にいいぞ」

長の言葉に、ぼくは息を止めて、ちょっとだけ口にふくんでみた。

「……っ！」

すごく苦かったけど、飲みほしてしまうと、果物のような風味がかすかに残る。

たぶん、気持ちが顔に出ていたのだろう。

「はっはっは」

長が大きな笑い声をあげた。

「むりをすることはない。もっとうまい飲みものもあるのじゃが、人間の子どもに河童の酒を飲ますわけにはいかんからな」

「はあ……」

ぼくは頭をかいて、湯飲みを置いた。

ここにくるまでは、こわかったらどうしようと思ってドキドキしてたんだけど、じっさいに会ってみると、河童の長はなんだか気のいいおじいちゃんという感じだった。

その長は、

「あんたらのことは聞いとるよ」

そういって、となりにすわるギィの顔を見た。

「こいつは河童一族の中でも変わり者で、やたらと人間の里にいきたがる。そんなギィに、人間の友だちができたと教えられて、わしは正直心配しとったんじゃ。いままで人間は、わしらを見ると、おそれ、遠ざけ、こうげきしてきた。今回もそうなるかと思っていたんじゃが、あんたらはギィを河童と知って仲よくしてくれた。まずは礼をいわせてくれ。ありがとう」

グッと頭をさげる長のすがたに、

「え、いや、べつに……」

ぼくはあわてて顔の前で手をふった。

「ギィとは、いっしょにいて楽しいから仲よくしてるだけで、お礼をいわれるようなことは……」

「そうですよ」

タクミが身を乗りだして、ニッと笑った。

「おれの方こそ、大事なつりざおを拾ってもらって、感謝してます」

「おれも、ギィに教えてもらったおかげで、つりがめっちゃうまくなりました」

「昔から伝わるこわい話を、いっぱい知ってるんですよ」

シンちゃんとソラが続けていうと、ギィはなんだか照れたような顔で、頭のお皿に手をやった。

そんなぼくたちを、目を細めてながめていた長は、表情を引きしめると、

「今日、あんたらにきてもらったのは、お礼をいいたかったのと、たのみたいことがあったからなんじゃ」

よく通る声で切りだした。

ぼくたちも背すじをのばしてすわりなおす。

「あの……なにかあったんですか?」

ソラの言葉に、

「うむ」

長は小さくうなずくと、

「じつは、水神さまからあずかった、大切な宝珠がぬすまれてしまったんじゃ」

重々しい口調で語りはじめた。

七節村の水神さま

いまから数百年以上前の話。

七節村では雨の降らない日が続いて、村人たちは水不足に苦しんでいた。

このまま日照りが続いたら、作物が育たず、うえ死にする者も出てくるかもしれない――。

そんなとき、身なりのみすぼらしい山伏が村にやってきた。

山伏は腹を空かせて、いまにもたおれそうな様子だった。

知らせを受けた村の長は、山伏を自分の家に招くと、せいいっぱいの食事を出してもてなした。

翌日、元気になった山伏は、長に礼をいうと、

「なにか困っていることはありませんか?」

とたずねた。

「ここしばらく、雨が降らなくて困っております」

長が答えると、

「それでは、親切にしていただいたお礼に、雨ごいをいたしましょう」

山伏(やまぶし)はそういって、村はずれの山へと向かった。

そこにはかつて、小さな神社があったのだが、神主(かんぬし)が亡(な)くなってからはあとをつぐ者もなく、社殿(しゃでん)もくちはててしまっていた。

村人たちが見守る中、山伏(やまぶし)は社殿(しゃでん)の前で立ちどまると、手にしたつえを地面につきたてて、両手を組みあわせた。

すると、たちまち風がふきはじめ、空を黒い雲がおおった。

村人たちがどよめいていると、山伏(やまぶし)は巨大(きょだい)な龍(りゅう)へとすがたを変(か)えて、天空にかけのぼっていった。

そして、雲の中へ消えたかと思うと、つぎのしゅんかん、空の底がぬけたようないきおいで、雨が村中に降りだした。

その雨は三日三晩降りつづき、おかげで村は水不足の危機からのがれることができた。

四日目の朝、雨がやむと同時に村にもどってきた龍は、背中に河童たちを乗せていた。

龍いわく、この土地は水にはめぐまれないので、だれかが水を治めなければならないらしい。

しかし、水神でもある龍は、この土地にだけとどまるわけにはいかない。

そこで、あとをたくすため、少しはなれたところにある川の上流から、河童の一族にたのんできてもらったのだ。

龍は、水を治める力を持つ〈如意宝珠〉という名の宝玉を河童にあずけると、今度こそ遠くに飛びさっていった。

それ以来、河童たちは一族の使命として、宝珠を管理してきた。

「——ところが、その宝珠が、何者かにぬすまれてしまったんじゃ」

長が声をしぼりだすようにしていった。

「それって、大変じゃないですか」

ソラが深刻な口調でいった。

ぼくも、予想以上に重大な話におどろいていた。

「まったく、水神さまに合わせる顔がない」

長は情けなさそうにかぶりをふると、ぐっと顔をつきだした。

「そこで、あんたらにお願いなんじゃが、その宝珠を取りもどす手伝いをしてもらえんじゃろうか」

「え……」

タクミがいっしゅん絶句したあと、

「どうしてぼくたちに？」

とたずねた。

ぼくも同じことを思っていたので、となりでうなずいた。

ソラとシンちゃんも、しんけんな顔で長の口元を見つめている。

長はしばらく困ったような顔をしていたけど、やがてため息をついて、

「それは……ぬすんだのが、おそらく人間だからじゃよ」

と答えた。

「そうなんですか？」

ぼくは思わず声をあげた。

長は悲しそうに説明を続けた。

龍がいなくなったあと、河童たちは宝珠をおさめるためのほこらをつくり、大切に保管していた。

ほこらの場所を知っているのは河童の一族だけで、その中でも、宝珠にふれることができるのは代々の長にかぎられていた。

ところが、その宝珠がとつぜん消えてしまったのだ。

河童の長がそのことに気づいたのは、昨日の夕方。おいのりをしようとほこらを開けたら、宝珠がなくなっていたのだそうだ。

「山にはわしら以外にも、天狗やキツネが住んどるが、彼らがぬすむとは思えない。そうなると、人間しか考えられないのじゃよ……。ただ、人間の世界のこととなると、わしらが調べるのには限界がある。そこで、あんたらに、宝珠をさがすのを手伝ってもらいたいんじゃ」

「けど、人間にぬすまれたんやったら、警察に……」

シンちゃんのせりふに、

「それが、時間がないんや」

ギィがむずかしい顔で首をふった。

雨ごいのあと、その小さな神社には神主がおかれ、それが現在の七節神社――通称七不思議神社となった。

そして、村では毎年水神さまへの感謝をあらわす儀式をおこなうようになった。

来週の秋祭りは、その儀式のなごりなんだけど、秋祭りが終わって、夜中の〇時を過ぎると、神社ではもうひとつの祭りがはじまるらしい。

「もうひとつの祭り?」

シンちゃんが聞きかえすと、

「ああ」

ギィはうなずいて、ほおをゆるめた。

「百妖祭りじゃ」

その祭りには、河童や天狗はもちろん、ぼくたちがおばけとか妖怪と呼んでいるような、人間以外のものたちが集まって、村のはんえいと雨のめぐみをいのるらしい。

そして、毎年祭りのときには、ほこらから宝珠を取りだして、神社にささげないといけないのだ。

「もしそれが祭りの開始に間にあわなければ、災いが起こるといわれておる」

長の言葉に、ソラが不安そうな顔でたずねた。

「なにが起こるんですか?」

「それはわからん」

長は首をふった。

「ただ、水神さまをおこらせるわけだから、ただではすまんじゃろう……」

雨が降らなくなるのか、竜巻が起こるのか……想像するだけでもゾッとする。

「たのまれてくれるか？」

長は背すじをのばすと、あらためてぼくたちを見た。

すごく重大な役目だけど、もし本当に人間が犯人なら、その責任も人間が取らないといけないと思う。

みんなの顔を見まわすと、三人とも同じことを考えているのが、言葉に出さなくても伝わってきた。

「わかりました。お役に立てるかどうかはわかりませんけど、やってみます」

ぼくは長の顔をまっすぐ見つめて、はっきりと宣言した。

「ありがとう」

長はホッとした顔で、ひざに手を置いて頭をさげた。

長と別れたぼくたちは、ツタをつたって木をおりると、ギィの案内で、ほこらのある場所へと向かった。

さらに山のおくにあるらしく、岩の間をちょろちょろと通りぬける水の流れをたどるようにして、斜面をのぼっていく。

木と木の間をくぐって、しばらく進んだところで、

「ここじゃ、ここじゃ」

ギィが足を止めて、前方を指さした。

目を向けると、四本のまっすぐな木が、正方形をえがくように等間隔（とうかんかく）に生えているのが見えた。

その空間の真ん中に、ほこらがあった。

高さ五十センチくらいの石の台座（だいざ）の上に、一メートルくらいの木製（もくせい）のほこらがのっていて、両開きの格子戸（こうしど）がついている。

ギィがとびらを開くと、中では石でできた河童（かっぱ）のお地蔵（じぞう）さまが、あぐらをかいてすわっていた。

お地蔵（じぞう）さまはおなかの前で、てのひらを上にして両手を組みあわせている。

この手の上に、ソフトボールくらいの大きさで、てっぺんが少しとがったとうめいな珠（たま）がのっていたらしい。

「これはひどいな……」

ほこらを観察（かんさつ）していたシンちゃんが、顔をしかめてつぶやいた。

かぎをむりやりこじあけたらしく、格子戸（こうしど）の一部がこわされている。

「だけど、こんなところにほこらがあるなんて、ふつうだれも気づかないよな」

タクミがあせをぬぐいながら、斜面を見おろした。

ここにくるまで、もちろん道はないし、人が通ったあとも残ってなかった。

それに、木がほこらを囲むようにして生えているので、少しはなれるだけでかくれてしまう。

これでは、もしだれかがぐうぜん通りかかったとしても、宝珠がまつってあるとは、なかなかわからないだろう。

「昔はたまに人が通ることもあったらしいぞ」

「それって、もしかして天狗の神隠しにあった人なんじゃないの？」

ギィの言葉に、ぼくが思いついたことを口にすると、

「いやあ、それはない。たぶん、山菜をとりにきて、道に迷った人間じゃろ」

ギィはあっさりと否定した。

「それに、天狗どのをおこらせたら、山で道に迷うくらいじゃすまんからな」

「え？　神隠しってなに？」

ソラが首をかしげて、ぼくとギィの顔に視線を往復させた。

天狗の神隠しといえば、神社に伝わる七不思議のひとつなんだけど、ぼくも神主さんからおおよその話を聞いただけで、くわしくは知らなかった。

ギィの顔を見ると、

「七節神社に伝わる、さらに古い伝説でな……」

ギィが遠くをながめながら話しはじめた。

七節神社の神隠し

水神さまが雨を降らせるよりも、さらに昔の話。このあたりには山はあっても神社はなかった。

しだいに人が増え、村ができて神社をつくろうとなったとき、天狗は自分の気にいっていた大木を、ご神木として村に提供した。

そのかわり、木のてっぺんには決してのぼってはならないといましめた。

龍が水の神さまなら、天狗は山の神さまのようなもの。

その神さまが大事にしているご神木のてっぺんにのぼるのは、神さまの頭をふみつけているのと同じことだからだ。

やがて、神社ができて、村はさらに栄えていったが、村人たちは天狗のいいつけをちゃんと守っていた。

ところが、あるとき、一人の若者が村のみんなの目の前で、ご神木のてっぺんにのぼってしまった。

その若者は、体が大きくて力も強く、いつもいばっては、まわりの者を困らせていた。

そのときも、自分に勇気があるところを見せるために、わざと決まりをやぶってみせたのだ。

「へん、天狗なんかこわいもんか」

若者が頂上で、そういってみんなに手をふった、つぎのしゅんかん、

びゅうぅぅーーん

竜巻のような激しい風がふいて、若者は空高く舞いあがっていくと、そのまま消えてしまった。

村では神隠しにあったと大さわぎになった。

神隠しというのは、人がとつぜん消えてしまう現象のことで、そのままいなくなってしまうこともあれば、何日とか、ときには何年もしてから、とつぜんもどってくることもある。

それから十日後、若者は、田んぼのそばのあぜ道を、ふらふらと歩いているところを発見された。

あれだけ乱暴だった者が、まるで人が変わったように、おとなしくなっている。

若者の話によると、ここから山を二つこえたところにある天狗のかくれ里で、滝に打たれたり山道を走ったりと、厳しい修行を何か月もさせられたらしい。

「おまえがいなくなったのは、十日前のことだぞ」

長にそう教えられて、たいそうおどろいていたということだ。

「天狗に性根をたたきなおされた若者は、それ以来、いばることはなくなったそうじゃ」

ギィの話を聞いて、ぼくはタクミと顔を見あわせた。

夏休みの終わりに、タクミとさがした七つ目の不思議は、こんな話だったんだ。

やっぱり、山の神さまはちゃんと敬わないといけないな、と思っていると、

ひゅうぅぅ……

身を切るような冷たい風が、まるでぼくたちのかたをたたくようにして、木々の間を通りぬけていった。

ぼくたちはいっせいに身をふるわせて、それから空を見あげた。

雲は少しかげりを増して、葉がざわざわと音をたてている。

「そろそろ帰るか」

タクミの言葉に、ぼくたちはつりこまれたようにうなずいた。

秋の早い夕暮れが、道を赤くそめはじめている。

ギィと別れて山をおりると、ぼくたちは永念寺に足を向けた。

数百年の歴史がある、このあたりでは一番古いお寺で、境内には、昔、鬼が暴れたときにつけたとされるつめあとが残っている。

ここなら、長の話をたしかめるような資料があるかもしれないと思ったのだ。

庭そうじをしていた住職さんは、河童の話を聞いても、それほどおどろいた様子も見せずに、ぼくたちを本堂に通すと、

「ここでちょっと待ってなさい」

といいのこして、おくにすがたを消した。

「さすがに落ちついてるね」

ソラが小声でいうけど、ぼくはだまってかたをすくめた。

町の七不思議を調べているときにぐうぜん知ったんだけど、永念寺の住職さんは、ただの住職さんではない。なんと何百年もの間、この寺を守りつづけているのだ。

だから、河童の話を聞いたぐらいではおどろかないよな――そんなことを考えなが

ら待っていると、住職さんは紙をぐるぐる巻きにしたものを手にもどってきた。

「なんですか？」

シンちゃんが身を乗りだしてのぞきこむ。

「これは、寺に代々伝わる掛け軸なんじゃが……」

住職さんはそういって、巻かれていた紙を広げた。

そこにあらわれたのは、天にのぼろうとする龍のすがたをえがいた、りっぱな水墨画だった。

よく見ると、村人たちのすがたや、地面につきたてられた杖も、ていねいにえがかれている。

「すごい」

ソラが目をみはった。

シンちゃんも、感心したようにため息をついている。

「これ、住職さんがかいたんですか?」

タクミの質問に、住職さんは笑って首をふった。

「まさかまさか。これは、何百年も前に、この寺にとうりゅう——しばらくたいざいしておった絵かきが残していった掛け軸じゃよ」

まさに、長の話していたとおりの絵だな、と思っていると、

「ところで、きみたちがのぼった山というのは、天河山のことかな?」

ぼくたちの顔を見まわすようにして、住職さんが聞いた。

「そうです」

シンちゃんが答える。

「そうなの?」

ぼくはソラにそっと聞いた。山の名前は知らなかったのだ。

「うん。天狗の天に、河童の河で天河山。ちょっとできすぎでしょ?」

ソラはおかしそうに笑った。

「たしかに」

ぼくが笑いかえしていると、

「あの山にはいるときは、〈さかさやまびこ〉に気をつけるんじゃぞ」

住職さんがぎゅっとまゆを寄せていった。

「なんですか、それ」

タクミが首をかしげる。

「やまびこは知っとるか？」

住職さんの問いに、

「えっと……山の頂上で大声を出したら、声が返ってくる現象のことですよね？」

シンちゃんが、まるで理科の授業みたいな答えかたをした。

ぼくも、やまびこといえばそれしか思いつかない。

だけど、住職さんはほほえみながら、ゆっくりと首を横にふった。

「いやいや。本来、やまびこというのは『山彦』とかいて、もともとは山に住む妖怪のことなんじゃよ」

住職さんは空中に指で字をかきながら説明した。

妖怪といっても、とくに人に害をあたえるわけではなく、人の呼びかけにこたえるだけで満足するらしい。

「ところが、さかさやまびこというのは、その逆の妖怪でな。これは、檀家さんのむすめさんから聞いた話なんじゃが……」

住職さんはそう前置きをして、語りはじめた。

さかさやまびこ

「あー、いい天気」

天河山の山頂に到着すると、まわりを囲む山の連なりをながめながら、恵美は大きくのびをした。

頭上には、真っ青な空が広がっている。

「ね？　たまには山も、いいもんでしょ」

希が笑って声をかけた。

二人は大学の同級生。

今日は希が恵美をさそって、山登りにやってきたのだ。

恵美は口に手をあてると、大きく息をすいこんで、

「やっほーっ！」

とさけんだ。

すると、遠くの山からかすかに、

「やっほー……」

という声が返ってきた。

「すごーい。やまびこが返ってきたよ」

恵美がはしゃいで、希のリュックをたたく。

そして、また息をすいこむと、今度は、

「おーいっ!」

とさけんだ。

少し間を置いて、また遠くから、

「おーい……」

と返ってくる。

恵美はしばらくやまびこ遊びをくりかえしていたけど、

「ほら、いつまでやってるの。そろそろいかないと、
バスに間にあわないよ」

希にうながされて、しぶしぶ歩きだした。

二人が山をおりていると、どこからか、

「やっほー……」

という声が風に運ばれてきた。

あたりに人かげはない。

どこかでだれかがさけんでいるんだな、と思った恵美は、いたずらのつもりで、声が聞こえてきた方向に、

「やっほー」

と返した。すると、希がとつぜんうでをつかんできて、

「ちょっと！　やめなさいよ」

思いがけない強い口調でたしなめた。

「どうしたのよ、急に」

「やまびこに返事をしたら、さかさやまびこにたましいを取られるって、おばあちゃんがいってたのよ」

希はしんけんな顔でいった。

「さかさやまびこ?」

「山に住んでる妖怪のこと」

「なにいってるのよ」

思わずふきだす恵美の耳に、さっきと同じ方向から、今度は「おーい……」という声が聞こえてきた。

恵美も口に手をあてて、

「おーい」

と返す。そして、青い顔をしている希に向かって、

「ほら、なんにも起こらないでしょ?」

といった。

「もう……知らないからね」

希はおこって、スタスタと歩きだしてしまった。

「なによ……そんなの、迷信に決まってるじゃない」

恵美が口をとがらせてつぶやいたとき、またさっきの声が聞こえてきた。

「いるかー」

恵美は大きく息をすって、同じせりふをくりかえした。

「いるかー」

すると、間を置かずにつぎの声が聞こえてきた。

「いってもいいかー」

恵美もすぐに答える。

「いってもいいかー」

「いくぞー」

「いくぞー」

「きたぞー」

「きたぞ……え？」

返そうとして、恵美はハッと口をつぐんだ。

最後の声が、すぐそばから聞こえたような気がしたのだ。

さっきまでざわざわと葉をゆらしていた風がやんで、山が静けさにつつまれる。

息を飲んでゆっくりふりかえると、そこには身長が自分の倍ほどもある、黒いかげが立っていた。

「――なかなかおりてこない彼女を心配して、連れの女性がもどってみると、まるでたましいがぬかれたように、道ばたにぼんやりとすわりこんでおったそうじゃ」

「その人は、どうなったんですか?」

ソラの問いに、住職さんはわずかに首をふった。

「ご両親が連れて帰られたが、そのあとはわからん。きみらも、山でもし遠くから呼びかけられても、気やすく返事をしてはいかんぞ」

住職さんはそういって、まじめな表情で、ぼくたちの顔を見まわした。

土曜日の午後。

お昼ごはんの焼きそばを大いそぎで食べおえると、ぼくは軍手をつかんで七節神社へと走った。

一週間後にせまった秋祭りのために、今日はみんなで、神社の境内とそのまわりをそうじするのだ。

七節神社は、七不思議神社とも呼ばれていて、旧暦の七月七日に町の七不思議を絵

馬にかいて奉納すると、願いがかなうといわれている。

引っこしてきた直後、ぼくはタクミといっしょに町中を歩いて、七不思議を集めてまわった。

おかげで、町のことにくわしくなったし、知りあいもできた。

そのお礼に、今日は神社をピカピカにしようと意気ごんで、ぼくは石段を一気にかけあがった。

「おー、きたか」

鳥居をくぐると、竹ぼうきを持ったタクミが大きく手をふっていた。

となりには、シンちゃんとソラのすがたもある。

今日はそうじが終わったら、ギィと合流して、ほこらのまわりを調べる予定なのだ。

境内にはほかにも、宮司さんや近所の人たちがたくさんいて、落ち葉をはいたり、拝殿をみがいたりしていた。

ぼくもさっそく集めた落ち葉をビニールぶくろにつめこみながら、

「この町って、ちょっと変わってるよね」

とみんなに話しかけた。

「なにが?」

竹ぼうきで落ち葉を集めながら、タクミが聞きかえす。

「だって、おばけとか河童とかが、ふつうにいるし」

「そんなに変わってるかな」

平然と答えるタクミを見て、シンちゃんが笑った。

「タクミはおかしなもんを見なれとるからな」

「シンちゃんも、河童を見てるやんか」

タクミが反論すると、

「河童はええねん。あれはUMAみたいなもんやから」

シンちゃんは、なぜかいばるように答えた。

「ユーマ?」

首をかしげるタクミに、

「未確認生物のことよ」

ソラが横から口をはさむ。

「雪男とかツチノコとか、もくげきしたという人はいるけど、ちゃんと確認されてない生きものっているでしょ？　そういうのを、ユーマって呼ぶの」

「ツチノコってなに？」

ぼくが聞くと、

「ヘビみたいな生きものなんだけど、どうたいが太くて、すごいジャンプ力があるの。昔から日本中で報告されてるんだけど、まだだれもつかまえたことがないんだって」

ソラはスラスラと答えた。

そんな話をしながら、ぼくたちは境内を出て、石段に移動した。

一歩ずつおりながら、落ち葉やかれ枝を集めていると、

「そういえば、おれも昔、ここでおかしななもんを見たことがあったなあ」

シンちゃんが、竹ぼうきを休みなく動かしながら話しだした。

白い手

シンちゃんが、まだ小学校にはいる前の話。

秋祭りが終わってしばらくたった、あたたかい日の午後に、シンちゃんはお母さんと二人で、七節神社に散歩にきていた。

拝殿でお参りをすませ、お母さんがシンちゃんの手を引いて、石段をおりようとすると、

「一人でおりれるから、いい」

シンちゃんはそういって、勝手におりはじめた。

「しょうがないわねえ」

お母さんは苦笑して、少しはなれた場所から、シンちゃんを見守ることにした。

テンポよく石段をおりていたシンちゃんは、半分ほど過ぎたところで、ふと右手のくさむらから、だれかが手招きしたような気がして、足を止めた。

近づいてのぞきこむと、そこにはちょうどてのひらぐらいの大きさの白い花がさいていた。

五枚の花びらが上半分にかたよっているので、人の手のようにも見える。

しかも、それが左右ではなく、前後にゆれていたので、まるでおいでおいでをしているみたいに見えたのだ。

なーんだ、と思って石段をまた何歩かおりると、今度は左手のくさむらで、白い手が手招きしていた。

「え？」

見にいくと、さっきと同じ花が、今度は十本近く固まっている。

しゃがみこんで、そのまましばらくながめていると、ひゅー、と風がふきぬけて、花がいっせいにゆらゆらとゆれた。

その様子を見ているうちに、シンちゃんはだんだんこわくなってきた。

花は真っ白というより、うすいもも色に近くて、くきも太い。

だから、よけいに本物の手のように見えるのだ。

くさむらからにげるようにしてはなれたシンちゃんは、またすぐに足を止めた。

反対がわでも、やっぱりさっきの花が、今度は二、三十本ほど固まってゆれている。

石段の真ん中で、どちらにもいけずとほうにくれていると、

ひゅうううぅぅぅ……


ひときわ強い風がふいて、何百本という白い手が、石段の左右でいっせいに手招きをはじめた。

「うわーん!」

その光景に、シンちゃんは泣きながら、お母さんの元へと走っていった。

お母さんのスカートに顔をうずめながら、なんとか石段をおりきったシンちゃんが、おそるおそるふりかえると、石段の両がわでは、たくさんの白く美しい花が、秋風にふかれて、ひらひらとやさしくゆれていた。

「——まあ、いまから考えたら、ただの見まちがいやったんやろうけどな」

ほうきでかれ葉をはしに寄せながら、シンちゃんがそういうと、

「その話、いつのことか覚えてる？」

ソラがしんけんな口調で聞いた。

「え？　えっと……幼稚園の年長のときやったから、いまから五年くらい前かな」

シンちゃんが答えると、ソラはむずかしい顔をして、

「それ……やばいかも」

といった。

「やばい？」

「うん。その花は〈死なば草〉っていって、手招きをされたら、五年以内に死ぬっていわれてるの」

「まさか」

シンちゃんは笑ったけど、ソラは表情を変えずに、説明をはじめた。

ソラによると、手のように見える花の中に一本だけ、本物の白い手が混じっていて、

それが死神の手だというのだ。

「ほんとかよ」

シンちゃんは不安そうな顔になって、ソラに聞きかえした。

「うそだと思うなら、花の名前を反対に読んでみて」

ソラのかたい表情に、

「え？　えーっと、死なば草だろ？」

シンちゃんはすなおにくりかえし読んだ。

「しなばそう、しなばそう……うそばなし……うそ話……あれ？」

ようやく気づいたシンちゃんの顔を見て、ぼくたちはいっせいに笑い声をあげた。

石段の下には、車が二台、ぎりぎりすれちがえるくらいの細い道が、山はだにそって続いていた。

祭りの夜には、この道にずらっと屋台がならぶのだそうだ。

かれ葉のつまったふくろをいっぱいに積んだ軽トラックのそばで、立ち話をしてい

た町内会のおじさんの一人が、ぼくたちに気づいて、

「おー、タクミか。お手伝い、ご苦労さん」

と手をふった。


どうやら、タクミの知りあいのようだ。

おじさんはぼくたちの顔を見て、

「きみらも、お祭りに参加するんか？」

と聞いてきた。そして、ぼくたちがうなずくのをたしかめると、

「それやったら、キツネには注意するんやぞ」


ニコニコしながらいった。

「え？　キツネ？」

ぼくが聞きかえすと、

「ああ、キツネは人を化かすからな」


おじさんはそういって、こんな話をしてくれた。

キツネの兄弟

昭和のはじめごろの話。

当時はいまとくらべてごらくも少なかったので、お祭りがあると、地元だけではなく、近隣の町や村からも、露店目あてに子どもたちが集まってきた。

ところが、七節神社のお祭りには、ある問題があった。

山に住むキツネが、いたずらをしにやってくるのだ。

たとえば、男の子がわたあめを買いにきて、あとで露店の主人がたしかめると、もらったお金が木の葉に変わっていたとか、道に迷っている人がいたので案内をしたら、お礼におまんじゅうをくれたので、家に帰って開けてみたら土まんじゅうがはいっていたとか、そういったことがしばしばあったらしい。

七節町の町内会では、どうにかしてキツネをつかまえて、こらしめてやろうと、毎年見まわりをするのだが、なかなかうまくいかなかった。

ある年の祭りの夜、町内会の若者が、おさない兄弟に目をつけた。浴衣すがたで屋台をまわる兄弟の、弟の着物のこしの後ろから、ふさふさとしたしっぽが生えているのが見えたのだ。

こいつはキツネにちがいないと、こっそりあとをついていくと、兄弟は町はずれにある一けんの家にはいっていった。

若者は戸をたたいて、

「いまのは、キツネの兄弟です」

と告げた。

ところが、家の人は笑って本気にしない。

「なにをいってるんですか。あれはうちの親せきの子ですよ。お祭りなので、遊びにきたんです」

「いいえ、キツネです。たしかに、しっぽが生えてました」

若者はくりかえした。

二人はしばらくおし問答をしていたが、とうとう家の人が、

「だったら、しょうこを見せなさい」

とおこりだしたので、若者は近くにいたのら犬を連れてきた。

キツネは犬が苦手なので、けしかけたら元のすがたを見せるだろうと考えたのだ。

家から出てきた兄弟は、犬を前にしてふるえだした。

それ見たことかと思った若者は、犬をはなした。

足がすくんでにげることもできないまま、犬におそわれた兄弟は、その場にたおれて動かなくなった。

「だいじょうぶか！」

あわててかけよろうとする家の人を、

「なあに、じきに正体をあらわしますよ」

若者はよゆうの笑みをうかべておしとどめた。

ところが、兄弟はいつまでたっても、キツネのすがたにもどらない。

若者は真っ青になった。

「どうしてくれる！」

家の人がはげしくおこって、家にはいると、なたを手に飛びだしてきた。

「ひゃあ！」

若者はあわててにげだした。

そして、目の前の川に、頭からザブンと飛びこんだ。

向こう岸まで泳いでにげようと、必死で手足をばたつかせていると、

「おーい、そんなところで、なにしてるんだ?」

同じ町内会の知りあいの声が聞こえてきた。

顔をあげると、若者はいなほの実った田んぼの中で、体中どろだらけになって、ばたばたと暴れていた。

けっきょく、若者ははじめから、キツネに化かされていたのだ。

「きみらも、キツネには、用心するんやで」
おじさんの言葉に、
「はーい」
ぼくたちは元気よく返事をして、またそうじを再開した。

それから三十分後、ぼくたちはほこらをめざして出発した。

うすい雲のうかんだ空から、おだやかな陽ざしがふりそそいでいる。

土手の上をのんびりと歩いていると、

「おーい」

川原の方から、季節はずれの麦わらぼうしを目深にかぶり、長そでシャツに長ズボンをはいた小がらな人かげが、手をふりながらかけよってきた。

目の前までやってきたそのすがたを見て、ぼくはおどろいた。

「ギィ！」

それは、服を着たギィだったのだ。

「どうだ？　似あうか？」

ギィはそういって、うれしそうに胸を張った。

「その服、どうしたの？」

ソラが聞くと、

「おれのお古をあげたんだ」

シンちゃんが答えた。

神社にいく前に、川に立ちよって、自分が昔着ていた服をわたしたのだそうだ。

これなら、ちょっと見ただけでは、河童とは気づかないだろう。

ぼくたちがさらに土手を歩いていると、大学生ぐらいの男の人が、五、六人、川原に集まっているのが見えた。

なにをしてるんだろう、と思っていると、集団の中から、とつぜん黒い機械が飛びあがった。

ドローンだ。

機体からはひもがたれて、その先には丸いパンがぶらさがっている。

ドローンが上流に向かって動きはじめると、男の人たちもパンを追いかけて川原を走りだした。

さらにその後ろから、ビデオカメラを構えた人がついていく。

「あれは、なにをしてるんだ？」

ギィがその光景をながめながら、不思議そうにいった。

「あれは……、
ドローンを使った
パン食い競争かな」
ぼくは答えた。
「パン食い競争？」

「手を使わずに、だれが一番早くパンを食べることができるか、競争するんだ」

「そんなことして、どうするんだ？」

「たぶん、ビデオでとって、動画サイトに流すんだよ」

「さいとに流す？　さいとって、どこの川だ？」

「うーん……」

どう説明しようかと、ぼくが頭をなやませていると、

「要するに、おもしろい映像をとって、それをたくさんの人に見てもらうんだよ」

横からシンちゃんが補足してくれた。

それでもギィは理解できないみたいで、

「見てもらって、どうするんだ？」

と重ねて聞いてきた。

「どうするって……」

「それを仕事にする人もいるけど、たいていはしゅみみたいなものかな」

言葉につまるシンちゃんのかわりに、今度はソラが解説した。

「わたしも、動画サイトでよくきもだめしの動画を見るよ」

「きもだめしなんかとって、だいじょうぶなの？」

ぼくが顔をしかめて聞くと、

「あんまりだいじょうぶじゃないと思う」

ソラは苦笑いをうかべた。

「わたしが聞いた話はね……」

廃寺のきもだめし

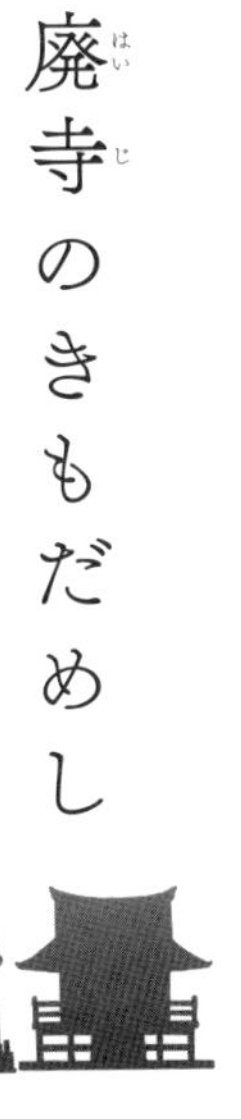

「こんなところに、ほんとに寺なんかあるのかよ」
真っ暗な森を前にして、疑わしそうな声をあげる同級生のよしきに、
「だいじょうぶだって、ちゃんと下調べはしてあるんだから。ほら、いこうぜ」

ゆうじは笑ってそういうと、元気よく歩きだした。

強力な懐中電灯で前を照らしながら、森に足をふみいれるゆうじのあとを、十人近い男女がぞろぞろとついてくる。

冷え冷えとした秋の夜風が、木々の葉をざわざわとゆらして通りすぎていった。

ゆうじは、大学の映画研究会で会長をしている。

今日は研究会の仲間と車に乗って、心霊スポットとして有名な廃寺のある山おくにきていた。

きもだめしの様子をビデオで撮影して、その映像を、秋の学園祭で上映しようというのだ。

車をおりて、十五分ほど歩いたところで、ゆうじたちはようやく目的の廃寺に到着した。

長年にわたって、だれも住んでいないその寺は、柱と屋根だけはかろうじて残っているものの、障子やふすまはくちはてて、かべにもあちこち穴が開いていた。

ゆうじはいちおうげんかんらしきところで、

「おじゃましまーす」

と大声で呼びかけてから、くつのまま、建物にはいっていった。

その後ろから、同級生や後輩たちがついてくる。

一番後ろは、ビデオ係のよしきだ。

しばらく歩いたところで、

カタカタカタカタ

ふいに、なにかがゆれるような音がして、後輩の女の子が、

「きゃーっ！」

と悲鳴をあげた。

「障子が風でゆれただけだろ」

だれかがそういって、わくだけが残った障子を手で動かすと、さっきと同じ音がして、女の子はほっと胸をなでおろした。

その後も、ゆかがぬけたり、たなから経文が落ちてきたりと、ちょっとしたアクシデントはあったけど、けっきょくゆうれいをもくげきすることはないまま、きもだめしは終了した。

寺を出て、車にもどりながら、

「どうするんだよ」

よしきがゆうじを問いつめた。

「ここにきたら、ぜったいにゆうれいがとれるっていってたじゃないか」

「だいじょうぶだって。それなりに不気味なやつはとれたし……」

ゆうじはへらへら笑ってそういった。

だけど、アパートに帰ってからあらためて今日の映像を見直してみると、思っていたよりもたいくつだった。

このまま学園祭で上映するのは、ちょっと厳しいかな、と思ったゆうじは、

「やっぱり、これでいくか……」

そうつぶやくと、パソコンに向かって、ある作業をはじめた。

つぎの日。

ゆうじは自分の部屋にみんなを呼んで、昨日の動画を上映した。

ガサガサと草をかきわける音に続いて、ライトに照らされた廃寺が映る。

ゆうじを先頭にして、研究会のメンバーが建物の中にはいっていくと、部屋のおくにくずれかけた仏だんがあらわれた。

「なんだよ。ただ部屋が映ってるだけじゃないか」

よしきがもんくをいったそのとき、仏だんのかげから、真っ白な顔がいっしゅんのぞいて、すぐに消えた。

動画を見ていたみんなから、いっせいにさけび声があがる。

「いまのって……」

よしきがふるえる手で画面を指さすと、

「ああ、あれ？　合成」

ゆうじは笑って答えた。

「合成？」

よしきは目を丸くした。

「編集ソフトで、あとから白い顔を合成したんだ」

ゆうじはもう一度、同じ場面を再生した。

画面が移動する直前、仏だんの後ろからあらわれた白い顔が、無表情のままカメラを見つめている。

「すごいですね」

「ほんものみたい」

みんなが口々にゆうじをほめた。

たしかに、合成したといわれてもわからないくらい、その映像はよくできていた。

その後も、おしいれの中からさっきと同じ顔がのぞいている場面があって、またみんなから悲鳴があがった。

これを学園祭で上映することに決定して、みんなが帰りじたくをはじめる中、最近入会したばかりの一年生の男の子が、深刻な顔でゆうじにささやいた。

「最後の女の人、おこってましたよ」

「え？」

ゆうじが聞きかえそうとしたときには、その子はすでに帰ってしまっていた。

みんながいなくなると、ゆうじはもう一度、動画を再生した。

すると、たしかにきもだめしを終えて、廃寺を出る直前、お寺の前に白い女性のような人かげがいっしゅんだけうつっていた。

だけど、ゆうじにはそんなものを合成したおぼえはなかった。

おかしいな、と思いながら、もう一度見直すと、人かげは消えていた。

「なんだ、気のせいか」

ほっと息をはきだして動画を止めると、すぐ後ろから女の人の笑いをふくんだ声が聞こえてきた。

「気のせいじゃないわよ」

「その動画は、いまでもサイトに流れてるんだって」

ソラが話をしめくくると、

「はあ……さいとって、おそろしいとこなんやなあ」

ギィはおかしな感心のしかたをして、ため息をついた。

それを聞いて、ぼくは、

（感心する方向が、やっぱり人間とはちょっとちがうよな）

そう思って、こっそり苦笑した。


この間と同様、苦労して山をのぼると、ぼくたちはほこらに到着した。

ここから手分けして、犯人の手がかりをさがすのだ。

ぼくはソラといっしょに、ほこらをまわりこんで、さらに山のおくへと進んだ。

あやしい足あとがないかと、こしをかがめて歩いていると、木の根元になにか黄色いものが落ちているのが見えた。

拾いあげて、ぼくはとまどった。

それは、幼稚園児がかぶるような黄色いぼうしだったのだ。

「リク、どうしたの、それ」

目を丸くするソラに、

「落ちてたんだ」

ぼくは答えて、ぼうしを手に首をひねった。

「どこかから、飛んできたのかな」

ソラはじっとぼくの手元を見ていたけど、

「……変な話、思いだしちゃった」

そういうと、顔をしかめて話しだした。

黄色いぼうしの子ども

ある男性が、山の中で鳥の写真をとっていたときのこと。

ふと視線を感じてふりむくと、重なりあった木のかげに、幼稚園の制服を着て、黄色いぼうしをかぶった男の子が立っていた。

そのすがたを見て、彼は背すじがゾクッとした。

そこは大人でものぼるのが大変な山のおくで、子どもが一人でこられるようなところではない。

仮に遠足にきてはぐれたのだとしても、制服を着てピカピカの革ぐつをはいたその服装は、あまりにも不自然だった。

男性がこおりついていると、男の子は地面をすべるようにスーッと近づいてきて、彼の手をきゅっとつかんだ。

その手の冷たさに、男性はにげだしそうになったけど、男の子のしんけんな表情が気になって、手を引かれるまま、あとについていった。

すると、木立をこえたところにある細い山道で、一台の車が木にぶつかって止まっているのを発見した。

どうやら、山の反対がわから車でのぼってきて、木に激とつしたようだ。男性が中をのぞきこむと、前の座席には一組の男女が、そして後部座席には、さっきの黄色いぼうしの男の子が、目を閉じてぐったりとしていた。

彼は石をつかんで、窓ガラスをたたきわると、ロックを外してドアを開けた。

さいわい息はあるようなので、すぐに救急車を呼んで、ふと気がつくと、自分をここまで連れてきた男の子のすがたは、どこにもなかったということだ。

「――その家族は、道をまちがえて山に迷いこんだあげく、事故を起こして、気絶していたんだって」

ソラの話を聞きながら、まさか近くに幼稚園の制服を着た子どもが立ってたりしないよな、と思って、ぼくはあたりを見まわした。

すると、斜面を少しのぼったところで、木立がとぎれていることに気がついた。

ソラをうながして、足を進めたぼくは、その先に広がっていた予想外の光景に、あぜんとして言葉を失った。

「なによ、これ！」

ソラがとなりで悲鳴をあげる。

天河山のてっぺんで目にしたのは、大量の粗大ごみの山だったのだ。

テレビに冷蔵庫、電子レンジ、タンス、ギター、勉強机、三輪車……。

さらにそのおくには、くさったたたみや服の山も見える。さっきの黄色いぼうしは、おそらくここから飛ばされたのだろう。

ソラの悲鳴を聞いて集まってきたみんなも、ごみの山を前にして、ぼうぜんと立ちつくした。

「こんなもんがあったら、山も川もよごれて、生きものが住めなくなるじゃねえか」

ギィがいかりと悲しみのいりまじった声でいった。

「これは、不法投棄やな」

ごみの山を見わたしながら、シンちゃんが厳しい顔でいった。

不法投棄——テレビのニュースなんかで聞いたことはあったけど、まさか自分の住んでいる町で、こんなことがあるとは思ってもみなかった。

「おーい、こっち見てみろ」

ごみの山の向こうがわで、タクミがぼくたちを呼んで、地面を指さした。

「ほら、ここにタイヤのあとがあるやろ。だれかがここまで、ごみを車で運んできたんや」

たしかにそこには、太いタイヤのわだちが何本ものびていた。

山の反対がわからだったら、車でもこのあたりまでのぼれるみたいだ。

もっとも、道が整備されているわけではないので、草や木がめちゃくちゃになぎたおされている。

大きな車はむりだから、軽トラックで何回も往復して、ごみを運んできたのだろう。

「これ、どうしよう……」

ごみの山を見あげながら、ぼくがだれにともなくつぶやくと、

「とりあえず、帰ったら父ちゃんに話してみる」

こしに手をあてながら、シンちゃんがいった。

シンちゃんのお父さんは、町役場に勤めている。

シンちゃんによると、役場の中には、こういう不法投棄を担当する部署があって、警察と協力して動いてくれるらしい。

ぼくたちは、さらにほこらのまわりを調べて、あるひとつの可能性にたどりついた。

それは、

『宝珠をぬすんだのは、不法投棄の犯人ではないか』

というものだった。

このあたりは、山登りやつりにきて、たまたま足をふみいれるような場所ではないし、ごみの山のまわり以外に、人や車が近づいたけいせきはない。

だから、ごみを運んできた犯人が、捨て場所をさがしているうちにぐうぜんほこらを見つけて、宝珠を持ちさっていったのではないかと考えたのだ。

「許せねえな」

顔を赤くしておこっているギィに、

「でも、これで犯人にちょっと近づけたかも」

と、ぼくはいった。

宝珠をぬすんだ犯人の手がかりはまったく見つからなかったけど、不法投棄の方なら、ごみやタイヤのあとが残っている。

ギィも長に報告しないといけないので、ぼくたちは暗くなる前に山をおりることにした。


家に帰ると、ちょうど母さんとばあちゃんが夕ごはんの準備をしているところだった。父さんはまだ仕事中だ。

調理師として長年働いていた父さんは、こっちに引っこしてきてからは、知りあいの紹介で、あとつぎがいなくて困っていた地元の洋食屋をまかされていた。営業はランチからなので、朝はゆっくりだけど、帰りはいつもおそい。

三人でごはんを食べながら、ぼくは今日のできごとを報告した。

もちろん、宝珠のことは秘密なので、山で遊んでいたら不法投棄を見つけた、とい

うことにしたんだけど、

「だいじょうぶ？　あぶないものとかなかった？」

母さんがはしを止めて、こわばった顔つきで聞いてきた。

母さんによると、不法投棄されるごみの中には、工場で使いおわった油や、くぎがささったままの廃材、ひどいときには使用ずみの注射器なんかがまぎれていることもあるらしい。

「だいじょうぶだよ。テレビとか冷蔵庫とか、ふつうのものばかりだったから」

ぼくがそういうと、母さんは安心したように表情をゆるめて、それからすぐに厳しい顔で続けた。

「でも、あんまり危険な場所にはいかないようにね」

「うん、わかってる」

うなずきながら、ぼくは心の中で母さんにあやまった。

明日、お昼ごはんを食べてから、ふたたびみんなで川原に集合する約束をしていたのだ。

シンちゃんは、今晩お父さんに話をするといっていた。

明日は日曜日なので、たぶん役場の人が見まわりにいくのは月曜日になるだろう。

つまり、ぼくたちが自由に現場を調べられるのは、明日一日だけかもしれないのだ。

「でも、どうして山にごみなんか捨てるんだろう」

ぼくが口をとがらせると、

「お金のためでしょうね」

母さんが悲しそうにいった。

昔は、粗大ごみの処理というのは無料だったらしい。

ところが、ここ何十年かで分別やリサイクルが進んで、粗大ごみを捨てるのにお金がかかるようになった。

「だから、それを商売にする人も出てきたの」

「商売に?」

「たとえば、テレビを捨てるのに二千円かかるとしたら、それを千円で持っていってくれるの。もちろん、ちゃんと処分したり、こわれたテレビを修理して、中古品として売る人もいるけど、中にはそれを、そのまま山に捨てちゃう人もいるのよ」

そうすることで、千円はまるもうけになるわけだ。

「でも、ごみの山の中には、まだ使えそうなものもあったのに……」

捨てられていた机や三輪車を思いうかべながら、ぼくがいうと、

「もったいないねえ」

もくもくとごはんを食べていたばあちゃんが、首を横にふった。そして、

「家具も長いこと使ってたら、たましいがやどるんやで」

そう前置きをすると、こんな話をはじめた。

帰ってくるいす

ばあちゃんが子どものころの話。

ある日、学校からの帰り道に、近所の粗大ごみ置き場の前を通りかかると、りっぱなロッキングチェアが捨てられていた。

ロッキングチェアというのは、足に大きくカーブした板がついていて、前後にゆらゆらとゆれるいすのことだ。

「あれ？」

ばあちゃんは足を止めた。

それは、先月亡くなった、みっちゃんのおじいさんが使っていたいすだったのだ。

みっちゃんは近所に住んでいる同級生で、幼稚園からの仲よしだ。

ばあちゃんが家に遊びにいくと、おじいさんはいつもそのロッキングチェアにすわって、気持ちよさそうにゆられていた。

そのたびに、いすはギーコギーコときしむような音をたてたものだ。

せっかくの思い出の品なのに、もったいないなと思ったけど、どうすることもできず、ばあちゃんはごみ置き場をあとにして、家に帰った。

その日の夜。

ばあちゃんが、二階にある自分の部屋でねていると、窓の外から、聞きおぼえのある音が聞こえてきた。

ギーコ……ギーコ……

窓を開けて見おろすと、家の前の道路を、あのロッキングチェアが通りすぎていくところだった。

だれもすわっていないロッキングチェアは、ギーコギーコと前後にゆれながら、まるで生きているみたいに、みっちゃんの家の方へと進んでいく。

ばあちゃんはあぜんとして、その後ろすがたを見送っていた。


つぎの日の朝。

昨夜のことが気になって、ばあちゃんがみっちゃんの家に向かうと、門の前に人だかりができていた。

そして、みんなの中心では、あのロッキングチェアが、ギーコギーコとゆれていた。

「やっぱり、捨てられたくなかったんやな」

「おじいさん、大事にしとったからなあ」

集まった人たちが、口々に話しているのを聞くと、自分のほかにも、いすがひとりでに歩くすがたを見た人がいたらしい。

みんなでおじいちゃんの思い出話を交わしていると、ガチャリとドアが開いて、みっちゃんが顔をのぞかせた。

ばあちゃんが手をふると、みっちゃんはニコッと笑って、手をふりかえした。

「いまではみっちゃんが、そのいすを大事に使ってるわ」

ばあちゃんはそういって、熱いお茶をおいしそうに飲んだ。

日曜日になった。

祭りまで、ちょうどあと一週間だ。

朝起きると、父さんがコーヒーを飲みながら新聞を読んでいた。

「昨日は大変やったらしいな」

都会から地元に帰って、一か月あまりですっかりこっちの言葉にもどった父さんは、ぼくに気づいて新聞をたたんだ。

「うん」

ぼくは、ごみの不法投棄の件を父さんに話した。

話を聞きおえると、父さんは大きくため息をついて、

「あほなやつらやなあ」

といった。

「あの山でそんなことをしたら、えらい目にあうぞ」

「えらい目って？」

「リクは、天狗つぶてって知ってるか？」

「天狗つぶて？　なにそれ？」

ぼくが聞きかえすと、父さんはいたずらっぽい笑みをうかべた。

「あの山には天狗が住んどって、悪さをしたら、空から石が降ってくるんや」

「天狗って、そんなことができるの？」

「まあ、山の神さまみたいなもんやからな」

父さんはそういって、コーヒーをひと口飲むと、

「天狗はみんなから尊敬されてるけど、それは空を飛んだり、風を起こしたり、石を降らせたりするからやない。その力を使って、正しいもんを助けてくれるからなんや」

まるで自分のことのように、ほこらしげにいった。


お昼ごはんを食べると、ぼくはさっそく川原に向かった。

昨日と同じメンバーで、上流をめざす。

ギィは今日もぼうしをかぶって、シンちゃんのお古の服を着ていた。

「今度、ぼくも使ってない服を持ってこようか？」

ぼくはギィの服装を見ながらいった。

「ほんまか？」

ギィはうれしそうにふりかえった。

「そしたら、もうちょっと小さめの服があったら、たのんでもええか？」

「あれ？　大きかった？」

シンちゃんがギィを見た。

「いやいや」

ギィは首をふって、

「わしはぴったりなんやけど、長にはちょっと大きすぎるんや」

といった。

「長が着るの？」

ソラがおどろいた声をあげる。

「そうなんや。わしの話を聞いてるうちに、里におりてみたくなったみたいやな」

ぼくは、自分が小さいころの服を、長が着ているところを想像して、思わず笑ってしまった。

「そういえば、夕べ、父ちゃんに話してみたんやけど……」

ほこらの手前まで近づいたところで、シンちゃんが口を開いた。

役場の人が調べにいくのは、やっぱり月曜日になるらしい。

「そやけど、犯人がつかまっても、宝珠がほこらにもどってくるわけやないしな」

タクミの言葉に、ぼくたちはうなずいた。

仮に不法投棄の犯人がつかまっても、宝珠のことを認めるとはかぎらないし、宝珠が見つかったとしても、たぶん警察にぼっしゅうされて、ほこらにもどされるのはずいぶん先になってしまうだろう。

それでは祭りに間にあわない。

ぼくたちにとっては、犯人よりもまず宝珠なのだ。

「とにかく、おれらはおれらで、犯人の手がかりをさがしてみよう」

ほこらを通りすぎて、ごみの山に到着したぼくたちが、分担をどうしようかと話しあっていると、

「ちょっと待って」

ギィがとつぜん腹ばいになって、地面に耳をあてた。

そして、その姿勢のまま、早口でいった。

「車の音や」

耳をすませると、たしかに遠くから、車のエンジン音が近づいてくる。

いそいで木立の中にかけこんで、木のかげにかくれていると、バキバキバキバキと枝を折りながら、白の軽トラックがあらわれた。
荷台には大量の粗大ごみが積みこまれている。
ごみの山の手前で止まったトラックから、二人の男がおりてきた。
一人は黒いジャージ、もう一人は青いつなぎの作業着すがただ。

ぼくたちが見つめる中、男たちはなにかぼそぼそと話しながら、こっちに近づいてきた。

もしかして、ここにいるのがばれたのか？

ドキドキしながら息をひそめていると、男たちはまっすぐに、ほこらの方へと足を向けた。

この場所を知っているということは、こいつらが犯人にちがいない。

シンちゃんはスマホをすばやく取りだしたけど、圏外だったみたいだ。

それに、ここで電話をかけたりしたら、男たちにばれてしまう。

「父ちゃんに連絡してくる」

シンちゃんは小声でそういうと、足音をたてないようにその場をはなれた。

ぼくたちが見張っていると、男たちはこわれたままの格子戸を開いて、とんでもないことをいいだした。

「この地蔵も、売れるんじゃねえか」

男たちは宝珠だけではなく、河童のお地蔵さままでぬすもうとしているのだ。

となりでは、ギィがいかりで顔を真っ赤にしている。

いまにも飛びだしていきそうなギィのかたを、タクミがおさえて止めていた。

男たちはいったんトラックにもどると、台車を運んできて、二人がかりでお地蔵さまを乗せた。

シンちゃんはまだ帰ってこない。

このままでは、犯人をのがした上に、お地蔵さままでぬすまれてしまう。

だけど、子どもと河童だけで大人二人に勝てるだろうか。しかも、あっちは犯罪者で、凶器を持っているかもしれないのだ。

くやしくてじだんだをふんでいると、とつぜんけたたましいブザーの音が鳴りひびいた。

おどろいてふりかえると、ソラが防犯ブザーを手に立ちあがって、まっすぐに男たちをにらみつけていた。

「だれだ！」

男たちが台車を放りだして、こちらに向かってくる。

そのけんまくに、ぼくは足がすくんでしまった。

ソラとタクミも足がふるえている。

ぼくたち三人が動けずにいると、

「ガアアァァァッ！」

ギィがぼうしをぬぎすてて、おたけびをあげながら、男たちに飛びかかっていった。

「うわっ！　なんだ、こいつ！」

とつぜんあらわれたギィのいきおいに、おどろいた男たちは反射的にあとずさった。

そのすきに、ぼくとタクミはソラをかばうようにしてその場をはなれる。

ギィは木と木の間をすばやく動きまわって、男たちをまどわせた。

「いいかげんにしろ！」

ジャージの男がどなりながら、ポケットからナイフを取りだした。

それを見て、ギィの動きがぴたっと止まる。

「やばい」

タクミがつぶやいた。

「河童は刃物が苦手なんだ」

ギィがおびえていることに気づいた作業着の男が、後ろに回りこもうとしている。

「ギィ!　にげろ!」

タクミがさけびながら、男に向かって続けざまに石を投げた。

「いってえっ!」

そのうちのひとつが、おでこに命中して、作業着の男が悲鳴をあげる。

「このやろう!」

ジャージの男がナイフを構えて向かってきたので、ぼくたちはにげながら、さらに足元の石を拾って投げつけた。

男たちが、なかなか近づけないでいる。

このすきに山をおりて、助けを呼ぼうと思っていると、

「きゃっ!」

ソラが足をすべらせて、転んでしまった。

「ソラ!」

ぼくは手をつかもうとしたけど、それより先に、ジャージの男がソラのうでをつかまえて引きよせた。

そして、もう片方の手でナイフをかかげると、

「おい、かくれてないで、出てこい！」

つばを飛ばしてわめいた。

ソラは泣きそうな顔をしている。

ぼくたちは、しかたなくすがたをあらわした。

男はギィをにらみつけて、

「気味の悪いかぶりものなんかしやがって」

はきすてるようにいった。

ギィのことを河童のマスクをかぶった子どもだと思っているようだ。

「おまえたち、こんなところでなにしてたんだ」

作業着の男が、かたをいからせながら、ぼくに近づいてきた。

それを横目で見ながら、タクミがそっとこしを落として、足元の石に手をのばそう

とする。

「動くな！」

ジャージの男がするどくいって、ナイフをちらつかせた。

ソラの顔がサッと青ざめる。

タクミは男をにらみながら、ゆっくりと姿勢(しせい)をもどした。

ぼくはくちびるをかんだ。

このまま全員つかまってしまえばおしまいだ。

「こいつら、どうする？」

作業着の男の声に、ジャージの男が横を向いたしゅんかん、ソラがナイフを持つ手にかみついた。

「ぎゃっ！」

男が手のこうをおさえて、ナイフを落とす。

ソラは男をつきとばしてにげようとした。だけど、足場が悪くて、うまく走れない。

「こいつ！」

ジャージの男が、ソラをつかまえようと手をのばす。

ぼくはとっさに地面をけると、

「うわーーーっ！」

大声をあげながら、男のおなかに頭からつっこんでいった。

予想外のこうげきにふいをつかれたのか、男はバランスをくずして、ぼくをかかえたまま、後ろにひっくりかえった。

だけど、すぐに体勢を立てなおして、

「このやろう！」

ぼくの背中に、力いっぱいこぶしをふりおろした。

「うぐっ……」

息が止まりそうなしょうげきに、ぼくはうめきながらも、男のこしに回した手をはなさなかった。

視界のはしで、タクミがソラを助けおこしているのが見える。

「はなせ！」

男がふたたびこぶしをふりあげて、ぼくが目を閉じたとき、

ゴンッ！

すぐ近くでにぶい音がした。
顔をあげると、ジャージの男が顔をゆがめて、頭のてっぺんを両手でおさえている。
そして、足元にはテニスボールくらいの石が転がっていた。
この石が、頭に命中したみたいだ。
タクミかギィが投げてくれたのかな、と思っていると、

バラバラ……バラバラバラ……

男の頭めがけて、同じくらいの大きさの石が、空からつぎつぎと落ちてきた。
「いてててっ……」

ジャージの男が泣き声をあげながら、頭をかばってにげまわる。

見ると、作業着の男にも、同じように石が降りそそいでいた。

石は二人のところにだけ落ちてきているようだ。

男たちがたまらずに、トラックの車内ににげこもうとしたとき、

「あっ!」

タクミが空を見あげて指をさした。

木々のこずえの先に、背中に羽の生えた真っ赤な顔の人かげが、すごく険しい表情でこちらを見おろしていた。

天狗だ!

はじめて見るそのいげんに満ちたすがたに、ぼくが目をうばわれていると、天狗は手にしていたうちわのようなものをひとあおぎした。

すると、うちわの先端からつむじ風が起こって、男たちの体を飲みこんだ。

「うわあぁぁぁ～っ！」

男たちはさけびながら舞いあがると、高さ三十メートルはある木の枝にしがみついた。

「助けてくれぇ～」

泣きだす男たちを、天狗はじろりとにらみつけると、そのまま飛びさっていった。

ぼくたちがぼうぜんと、そのすがたを見送っていると、

「あったぞ！」

ギィがよろこびの声をあげながら、トラックの助手席を指さした。

ぼくたちがかけつけると、そこには美しい宝珠がキラキラとかがやいていた。

その後、おそれおおくてふれることができないというギィのかわりに、ぼくたちが大いそぎで、宝珠とお地蔵さまを元通りにしたところに、シンちゃんがおまわりさん

を連れてもどってきた。

「なにがあったんや？」

木の上で助けを求めている二人の男について、おまわりさんに聞かれたんだけど、ぼくたちは、

「急に竜巻が起こって、あそこまで巻きあげられていったんです」

としか答えられなかった。

とんでもない理由だと思うんだけど、おまわりさんも地元の人間で、なにか察するものがあったのか、

「なるほどなあ」

といっただけで、それ以上は聞いてこなかった。

そのあと、やっと地面におろされた男たちは、「河童が出た」とか「天狗にふきとばされた」とさわいでいたけど、

「そりゃあ大変やったなあ」

適当に流されて、そのまま連行されていった。

宝珠についてては、ぼくたちはなにも話さなかったし、男たちも罪が重くなるだけなので、だまりとおしたみたいだ。

家に帰って、

「あぶないことをしないでっていったでしょ、リク！」

と、母さんにさんざんしかられたぼくは、あとからばあちゃんに、天狗が助けてくれたことを話した。

すると、ばあちゃんは、

「天狗さんも、大事な山にごみを捨てられて、さすがに腹にすえかねたんやろうねえ」

そういって、おかしそうに笑った。

一週間後の日曜日。
夕方になると、ぼくは浴衣に着がえて七節神社へと向かった。
「おーい、おそいぞー」
石段の下で、タクミたちが手をふっている。
今日は秋祭りなのだ。
鳥居をくぐると、境内はたくさんの人でにぎわっていた。

拝殿の前に、ちょっとした舞台ができて、巫女さんがお神楽を舞っている。

ぼくたちはお参りをすませて、舞を見物すると、この日のためにためてきたおこづかいを手に屋台を回った。

ぼくとタクミは焼きそば、シンちゃんはお好み焼き、ソラは焼きトウモロコシを買ってきて、テントの下の食事スペースで合流する。

腹ごしらえをすませると、ぼくたちは射的や輪投げ、千本引きで遊んだ。

あっという間に財布が軽くなっていく。

ご神木のそばで、りんごあめをなめながら、ぼくが一人で休んでいると、浴衣すがたの兄弟が目の前を通りすぎていった。

後ろをついてあるく弟のたもとから、きんちゃくぶくろがこぼれおちたので、ぼくは拾って声をかけた。

「おーい、落としたよ」

弟が、あっ、という顔でかけもどってきて、

「ありがとう」

そういって受けとると、ニッと笑って、くるりと背を向けた。

「あれ？」

その浴衣から、ふさふさとしたしっぽが見えたような気がして、ぼくは目で追いかけたけど、小さな背中はあっという間に人ごみの中に消えていった。

「どうしたの？」

クレープを手にもどってきたソラが、ぼくの顔を見て、不思議そうに首をかしげる。

「うん、ちょっとね」

ぼくはソラといっしょに、タクミとシンちゃんがいるスマートボールの屋台に向かって歩きだした。

とちゅう、わたあめ屋の前を通りかかると、屋台のおじさんが二枚の葉っぱを手に、

「またやられてしもた」

とくやしそうな顔でなげいていた。

そういえば、さっきのきんちゃくぶくろ、お金がはいっているにしては軽かったな
――くすくすと思いだし笑いをするぼくを、ソラがきょとんとした顔で見つめていた。

わたあめ
1本 300円
うまい
やきそば
大 800円

祭りが終わって家に帰ると、もうねる時間だった。

お風呂であせを流して、ねじたくを整えると、布団にはいって目を閉じる。

そして、真夜中の日付が変わる少し前。

ぼくはパッと目を開けて、もう一度浴衣に着がえると、そっと家をぬけだした。

家の前では、さっきの兄弟が、秋祭りで使われていた紅白のものとはちがう、全体がオレンジ色に灯ったちょうちんを手にして立っていた。

「おむかえにあがりました」

足元を照らしてもらいながら、神社へと向かう。

石段をのぼるとちゅうで、ふととなりを見ると、兄弟はすっかり化けるのをやめて、キツネのすがたにもどっていた。

鳥居をくぐると、白地に紺のすずやかな浴衣を着たギィが出むかえてくれた。

「ようきてくれたな」

境内は、オレンジ色のちょうちんにぐるりと囲まれて、幻想的なふんいきだ。

昼間、お神楽の舞台があった場所には、いつのまにかやぐらがたてられていて、真っ赤なはっぴを着た河童（かっぱ）が、たいこを前にバチを構（かま）えていた。

「リク」

ふりかえると、タクミが立っていた。

シンちゃんとソラのすがたもある。

ぼくたち四人は、特別（とくべつ）に百妖（ひゃくよう）祭りに招待（しょうたい）されたのだ。

「はじまるみたいやぞ」

シンちゃんが、やぐらを見あげた。

河童（かっぱ）がバチを、いきおいよくふりおろす。


どーん、どーん、どーん……


それを合図に、境内（けいだい）のあちこちから祭りの参加者（さんかしゃ）たちがすがたをあらわした。

はっぴを着た河童（かっぱ）たちが、やぐらのまわりをおどりながら回る。

「ガウッ！」

後ろから聞こえてきた声に、あわてて飛びのくと、台座をおりた狛犬たちが、元気よく走りまわっていた。

「よかったら、どうぞ」

さっき家までむかえにきたキツネの兄弟が、フランクフルトを持ってきてくれる。

「ちょうどよかった。腹がへってたんだ」

シンちゃんが受けとって、さっそくかじりつくと、
ガリッ！

おかしな音がして、シンちゃんは「あいてててて……」と、なみだ目になった。

よく見ると、フランクフルトはいつのまにか、ただの木の枝になっていた。

「はっはっはっ」

それを見て、ギィが笑いながら近づいてきた。

「すまんな。キツネたちも祭りでうかれてるみたいや」

そこに、宝珠をかかえた長がやってきた。

「どうじゃ？　楽しんどるか？」

「はい」

ソラが元気よくうなずく。

長は満足げにほほえむと、あらためて、深々と頭をさげた。

「このたびは、わしらの宝を取りもどしてくれて、本当にありがとう。山のものを代表して、礼をいわせてもらうよ」

ぼくたちは、なんだかくすぐったい思いで顔を見あわせた。

もとはといえば、ぬすんだ人間が悪いのだ。

そんな複雑な気持ちが伝わったのか、長はまたにっこり笑うと、

「いまから儀式をおこなうから、いっしょにきてくれるか？」

といった。

ぼくたちがついていくと、長は宝珠を手にしてご神木の前に立った。

いつのまにかたいこの音は止み、山のものたちがご神木を囲むようにして集まっている。長は口の中でなにか唱えながら、宝珠を頭上にかかげた。

すると――

パラ……パラパラ……

細かな雨が木の葉を打つ音が聞こえてきた。

だけど、空にはきらめく星が広がるばかりで、雨の気配はどこにもない。

おかしいな、と思っているうちに、音はだんだん激しくなって、まるでどしゃぶりのような轟音が境内をつつみこんだ。

それでも、雨は一滴も落ちてこない。

「水神さまじゃ」

ギィの声に目をこらすと、細長い龍のかげが、夜空にかがやく丸い月の真ん中を横切っていくのが見えた。

そのかげが消えるのと同時に、雨の音はおさまった。

「これで、今年も安泰じゃ」

ギィがにっこりと笑う。

「さあ、祭りはこれからじゃ！」

長の声に、みんながわーっと歓声をあげる。

それからぼくたちは、不思議な味のするお茶を飲んだり、天狗の背中に乗せてもらって夜空を飛んだりして、月が山のかげにかくれるまで祭りを楽しんだ。

それは本当に、夢のような一夜だった——

明け方近く。

祭りが終わって、家に帰るとちゅう、ぼくは一人で田んぼのそばを歩きながら、ふと神社の方をふりかえった。

そこには何百年も昔から、この土地を見守ってきた山や森や空が、すべてをやさしくだきしめるように広がっていた。

作　**緑川聖司**（みどりかわせいじ）

2003年に日本児童文学者協会長編児童文学新人賞佳作を受賞した『晴れた日は図書館へいこう』（小峰書店）でデビュー。作品に「本の怪談」シリーズ、「怪談収集家」シリーズ、「福まねき寺」シリーズ（以上ポプラ社）、「アニマルパニック」シリーズ（集英社みらい文庫）、「霊感少女」シリーズ（角川つばさ文庫）などがある。また「笑い猫の5分間怪談」シリーズ（KADOKAWA）など、アンソロジー作品にも多く参加している。大学の卒業論文のテーマに「学校の怪談」を選んだほどの筋金入りの怪談好き。大阪府在住。

絵　**TAKA**（たか）

2013年『視えるがうつる!? 地霊町ふしぎ探偵団』（角川つばさ文庫）の挿絵にてデビュー。2018年度版NHK語学テキスト「基礎英語3」の挿絵をはじめ、児童書や中学生高校生向け書籍や雑誌、新聞などへのイラストを数多く手がけている。季節になると青春18切符を片手に、のり鉄してたりする、スイーツ大好き甘党イラストレーター。大阪府在住。
https://www.taka-illust.com

◉本書は、毎日新聞関西版朝刊「読んであげて」のコーナーで2019年7月に連載した原稿を元に加筆した作品です。

七不思議神社　森に消えた宝

作　緑川聖司
絵　TAKA

2019年11月　初　版
2022年10月　第６刷

発行者　岡本光晴
発行所　株式会社あかね書房
〒101-0065 東京都千代田区西神田3-2-1
電話 03-3263-0641（営業）
03-3263-0644（編集）
印刷所　錦明印刷株式会社
製本所　株式会社ブックアート
ブックデザイン　坂川朱音（朱猫堂）

落丁本・乱丁本はおとりかえいたします。
定価はカバーに表示してあります。

ISBN978-4-251-03736-7 C8093 NDC913 159p 20cm×14cm
https://www.akaneshobo.co.jp